사춘기 아이에게
어떻게 말해야 할까

아이와 갈등 없이 행복하게 지내기 위한 부모의 대화 수업

사춘기 아이에게
어떻게 말해야 할까

강금주 지음

루미너스
LUMINOUS

매일의 작은 대화가
아이를 바르게 이끈다

　한없이 예쁘기만 하던 아이가 점점 자기 목소리를 내기 시작하면 부모는 아이를 통제하는 데 한계를 느끼게 됩니다. 사춘기가 와서 갑자기 대들고 거칠게 행동하면 아이가 두려워지거나 미워지기도 하지요. 부모로서 자괴감이 들고 회의감을 갖게 되기도 합니다.

　"아이를 보면, 도망치고 싶은 순간이 있어요."

　사춘기 아이를 둔 한 엄마는 힘든 마음을 이렇게 털어놓기도 했습니다. 그 엄마가 무능하거나 나쁜 부모여서가 아닙니다. 그 아이가 꼭 대단한 문제아여서도 아니지요. 아이와 함께 '사춘기'라는 터널을 통과하면서 뜻하지 않게 겪게 되는 일들과 상처가 제때에 치유되지 않고 반복되거나 심해지면, 어떤 부모든 그런 심정이 들 수 있으리라 생각됩니다.

　아이에 대한 사랑과 열정이 차고 넘치는 만큼, 사춘기에 접어들면 부모의 걱정과 불안은 하늘을 찌릅니다. 사춘기는 분명 아이의 인생에서 매우 중요한 시기입니다. 하지만 '내 아이가 사춘기인가' 못지않게 중요한 것이 '나는 사춘기 자녀를 키우는 부모로서 준비가 되었는가' 하는 것입니다.

《사춘기로 성장하는 아이 사춘기로 어긋나는 아이》는 이런 질문을 가진 부모들을 위한 책이었습니다. 30년 넘게 수많은 청소년을 상담하면서 알게 된 것들을 바탕으로, 사춘기에 접어든 아이를 구체적으로 이해할 수 있도록 도움을 드리고 싶었습니다. 다행히 책을 읽고 아이의 사춘기를 전보다 더 잘 이해하고 받아들일 수 있게 되었다고 많은 분들이 고마움을 전해주셨습니다. 저 역시 감사했습니다.

그런데 한편으로는 아이와 크고 작은 갈등이 생긴 후에는 이것을 어떻게 말로 풀어가야 할지 모르겠다는 말씀도 하셨습니다. 도무지 아이와 대화가 안 되고, 이해할 수도 없다는 것입니다. 제가 또 다시 컴퓨터 앞에 앉아 책을 쓰게 된 이유입니다.

아이와 나누는 대화는 사춘기 문제를 해결하기 위해서도 필요하지만, 아이 마음에 생긴 문제의 불씨가 스파크를 튀며 발화하기 전에 그 상황을 이해하고 돕기 위해서도 필요합니다. 그렇기 때문에 아이와 대화하는 일이 어렵고 힘들다 해도 외면하면 안 됩니다.

대화로 풀리지 않는 문제는 없습니다. 어떤 문제라도 일단 대화가 가능해지면 해결의 실마리를 찾은 것입니다. 시간을 들여 천천히 조심스럽게 엉킨 매듭을 풀어가면 됩니다. 대화를 거부하는 아이와도 결국은 대화로 문제를 해결해야 합니다. 해야 할 말과 하지 말아야 할 말만 구별하고 있어도 말로 아이에게 상처를 주거나 실패할 경우의 수는 줄어들겠지요. 그런 점에서 이 책은 '사춘기 문제 해결을 위한 대화법'이면서 동시에 '내 아이와 조금 더 행복하고 편안한 관계로 나아가기 위한 대화법'이 담긴 책이라고 할 수 있습니다.

아이를 가장 사랑하고 가장 가까운 사람인 부모는, 왜 아이와 대화가 어려울까요?

사람은 뭔가 마음에 들지 않는 것이 있거나 서운한 감정이 있으면 말을 하지 않게 됩니다. '저런 행동을 왜 할까? 아무리 생각해도 이해가 안 된다.' 아이를 두고 이런 마음이 들면 대화하기가 쉽지 않습니다. 처음 한두 번은 말하다가도 같은 행동이 반복되거나 아이가 거칠게 반항하면 해야 할 말도 참게 됩니다. 시간이 갈수록 '사춘기니까 내가 참자', '나중에 기회가 되면 말하자', '말 안 해도 알아서 하겠지' 하면서 넘기게 되고, 그러다 보면 아이가 보내는 사인을 못 보게 됩니다. 결국 아이의 마음을 읽어야 하는 순간을 놓치게 되고, 어느새 아이와 대화가 되지 않는, 대화를 하지 못하는, 대화를 할 수 없는 부모가 되어버리는 것입니다.

대개 사춘기에 아이의 두뇌는 급격한 변화를 겪게 된다고 합니다. 사고능력과 감정 조절 능력을 만들어내는 전두엽이 일시적으로 불안정해져서 정서적인 변화가 일어날 수 있고 이상행동도 보일 수 있기 때문에 아이를 이해하고 수용해야 한다고 합니다. 하지만 불안정한 뇌만을 탓하며 아이를 무조건 수용하고 내버려두는 것은 다른 문제라고 생각합니다.

아이가 사춘기가 되었다는 것은 이제 대화로 상황을 풀어가면서 아이의 이야기를 더 많이 들어야 할 시간이 되었다는 뜻입니다. 예민하고 신경질적인 반응도, 거칠고 공격적인 행동도 대화로써 가르치고 선을 그어주어야 합니다. 꾸준한 관찰과 대화로 아이 마음을 읽어내려 애써야 하는 시간이기도 합니다.

혼히 사춘기가 되면 "네, 그럴게요" 하던 것도 "왜 그래야 돼요?", "난 싫은데", "꼭 지금 해야 돼?", "안 하면 안 돼?"라고 합니다. 부모는 아이의 이런 반응이 대들고 거부하는 것 같아서 욱하기 쉬운데, 이 말이 단순히 '하기 싫어요', '내가 알아서 해요' 등을 의미하는 것만은 아닙니다. '좀 더 구체적으로 설명해주세요', '화내지 말고 차분하게 이유를 말해주세요', '엄마 말도 맞지만 내 말도 들어주세요', '내 생각은 어때요?'라는 뜻에 가깝습니다.

이처럼 사춘기 아이의 속마음을 제대로 읽고 대화하려면 부모도 그에 관한 공부와 연습을 할 필요가 있습니다. 단지 말 패턴 몇 개를 익히는 게 아니라 내 아이를 잘 알고, 그런 내 아이에게 맞는 말을 하는 게 중요합니다. 이런 말 공부는 아이가 사춘기에 접어들기 전이라면 더 좋습니다. 미리 알고 있다면 사춘기 증상을 보일 때 한 발 앞서 아이를 도울 수 있으니까요.

이 책에는 사춘기 아이의 올바른 성장과 변화를 위해 부모가 꼭 알아야 할 대화 방법이 담겨 있습니다. 사춘기 아이에게 말하는 일이 어렵게 느껴지고, 어렵게 대화를 시작해도 결국 화내고 상처 주는 것으로 끝낸 경험이 있는 부모라면 꼭 읽어보기를 바랍니다.

부모인 내가 아이랑 통하고 싶은 만큼 아이도 말이 통하는 부모를 원합니다. "엄마, 할 말 있어요"라고 아이가 말을 걸어올까 두렵다면, 혹은 "이야기 좀 하자"고 아이에게 말을 걸기가 망설여진다면 이 책이 두려움과 망설임을 사라지게 하는 데 도움이 될 것입니다.

강금주

✦ Contents ✦

PART 4 ✦

갈등을 줄이고 관계를 편안하게 만드는 사춘기 대화 코칭 10

PART 5 ✦

아이가 보이는 문제별 대화 코칭

* 사례자의 이름은 모두 가명임을 밝힙니다.

PART 1

아이가
사춘기가 되면,
부모의 말이
달라져야 한다

사춘기가 되면 부모의 명령만으로는 아이가 움직이지 않는다. 부모가 아이 스스로 움직일 수 있도록 동기 부여 하는 말을 찾고 배워야 하는 이유다. 더불어 어떤 문제가 생겼을 때, 보다 차분한 말로 상황을 풀어가면서 아이를 가르치고 이끌도록 노력해야 한다.

10대 아이가 부모에게
가장 많이 듣는 말

10대 아이들을 대상으로 몇 년간 설문조사를 한 적이 있다. 부모님께 가장 많이 듣는 말을 비롯해 평소 아이들이 부모를 어떻게 생각하는지 다각도로 알아보기 위해 실시한 설문조사였다.

아이들이 기억하는 부모가 가장 많이 하는 말의 1순위는 공부와 관련된 말이었다. 이를 테면 '공부해라', '공부했니?', '공부는 언제 할 거야?', '공부 안 하고 뭐해?' 등의 말이다. 대다수의 아이가 공부에 대한 걱정 섞인 채근의 말이 부모에게 가장 많이 듣는 말이라고 답했다.

때로 부모는 '공부가 인생의 전부는 아니다', '인생은 성적순이 아니다'라고 말하기도 하지만, 그래도 '학생 때는 뭐니 뭐니 해도 공부가 제일 중요하다'는 생각이 머릿속에 강하게 있는 듯하다. 그러니 아이에게도 공부와 연결된 말을 가장 많이 할 수밖에.

두 번째로 많이 듣는 말은 '뭐 하지 마라'는 금지의 언어였다. '스마트폰 하지 마라', '게임하지 마라' 등의 말이다. '이걸 해봐', '이건 어떠니?' 하는 제안의 말이 아니라 지금 하고 있는 그 일을 멈추라는 금지의 말을 아이들은 두 번째로 많이 기억하고 있었다.

공부 아닌 다른 일을 하고 있는 아이를 볼 때나 아이의 행동이 마음에 들지 않을 때 부모는 무심코 그 행동을 금지하는 말을 한다. 다른 말로 대안을 제시하거나 그 일을 왜 하는지 궁금해하거나 언제까지 할 것인지 물어서 아이의 행동을 바꿀 생각은 잘 하지 않는 것 같다. '그렇게 먹지 마라', '그렇게 옷 입지 마라', '그런 자세로 앉지 마라', '그런 말을 쓰지 마라' 하는 금지의 말은 부모로서 할 수 있는 당연한 말이지만, 아이에게는 '우리 엄마 아빠는 내가 하는 것은 다 싫어해'라거나 '공부 빼고 다른 건 하나도 못하게 한다'는 생각으로 연결될 수 있다.

세 번째로 아이들이 기억하는 말은 '밥'과 관련된 말이었다. '밥 먹어라', '밥 먹었니?', '뭐 먹을 거야?' 등의 말이다. 결국 아이들이 기억하는 우리 부모가 가장 많이 하는 말은 이렇게 요약된다.

"스마트폰 그만하고 밥 먹었으면 공부해."

이 한 문장이 부모가 많이 하는 말의 90퍼센트 이상을 차지했다. 그밖에 기억하는 말로는 '어디야?', '언제 들어와?' 등으로 아이가 밖에 있을 때 현재 위치를 묻는 질문이었다.

아이들 기억 속에 부모님이 나에게 미소를 띠며 "사랑해"라고 말하는 순간은 3퍼센트도 안 되었다. 부모는 날마다 아이에게 사랑한다는 말을 하는 것 같은데 아이가 기억을 못한다면, 그건 사랑한다는 표현보다 '스마트폰 그만하고 공부하라'는 말이 머릿속에 더 강하게 박혔기 때문일 것이다. 아니면, 부모가 '~하지 말고 ~해라'는 명령의 말을 하면서 아이와 대화하고 있다고 착각하는지도 모른다.

"괜찮아, 지금도 잘하고 있으니까 쉬면서 해"

한번은 아이들을 대상으로 강의를 하다가 부모님께 들은 말 중 지금 바로 기억나는 말은 어떤 말이냐고 질문한 적이 있었다. 많은 아이가 생각을 굴리고 있는 사이, 앞에 앉아 있던 고1 남학생이 고개도 들지 않고 노트에 뭔가를 끄적이며 말했다.

"한심한 새끼!"

아이들은 갑자기 튀어나온 말에 키득거리거나 '누구야' 하면서 고개를 돌렸지만, 정작 그 말을 한 아이는 고개도 들지 않았다.

그런데 태도로 보나 성적으로 보나 누가 봐도 그 아이는 절대 한심한 아이가 아니었다. 오히려 너무 뛰어나서 다른 아이들이 질투할 정도의 성적과 품행을 유지하는 아이였다. 그 아이는 왜 부모가 한 말 중 기억에 남는 말로 '한심한 새끼'라는 말이 바로 튀어나왔을까? 평소 아버지에게 그 말을 많이 듣고 있었던 것이다. 사실 그 아이는 중학교 때까지 서울 8학군에서 주요 과목이 모두 평균 100점이었다. 나머지 과목도 98점이거나

96점으로, 95점 이하가 없었다. "이야, 어떻게 하면 이런 점수를 받을 수 있니? 너 정말 대단하구나!" 하고 칭찬한 기억이 있다.

문제는 고등학교에 들어가면서 성적이 94점에서 88점까지 골고루 분포되었다는 점인데, 그건 부모가 용납할 수 있는 성적이 아니었다. 물론 아이는 여전히 우등생이었다. 그러나 그것은 보통의 아이를 키우는 부모들이 부러워하는 성적이지 '늘 1등을 해온 아이를 키운 부모'에게는 용납 안 되는 한심한 성적이었다. 그래서 '한심한 새끼'라는 말이 나온 것이다. 부모의 말이 어떠냐에 따라서 90점이 넘는 높은 성적을 받은 아이도 한심한 사람이 될 수 있다.

수학에서 88점을 받았다는 이유로 집에 들어가지 못하고 성적표를 받은 날 자살을 선택한 중학교 3학년 여학생도 있었다. 이해하기 어렵겠지만, 아빠가 최고의 수학강사인 아이에게 수학은 늘 만점 과목이어야 했던 것이다. 아빠 앞에 88점짜리 성적표를 내놓을 수 없었던 아이는 혼이 나는 게 두려워 다른 길을 선택했다.

물론 이와 같은 경우는 드문 일일 것이다. 하지만 두 사례는 부모가 평소 보여주는 태도나 무심한 말들이 아이 머리에 박혀서 얼마나 예기치 못한 상황을 낳을 수 있는지를 여실히 보여준다. 부모의 말은 그렇게 무섭고 중요한 것이다.

그렇다면 아이들이 부모에게 듣고 싶은 말은 무엇일까 궁금해진다. 그거야 당연히 "공부하지 말고 놀아. 네가 하고 싶은 것 마음대로 해"가 아니겠냐고 한다면, 아이들을 너무 과소평가하는 것이다. 부모 눈에는 공부 빼고 다 재미있어 하는 것처럼 보이는 아이들이지만, 그 정도로 자기 처지를 모르고 있지 않다. 적어도 학생일 때는 공부가 직업이고 공부가 해야 할 일이라는 것을 아이들도 알고 있다. 다만, 알고 있는 것만큼 행동이 잘 따라주지 않을 뿐이다.

아이들이 부모에게 듣고 싶은 말은 '공부하지 말고 놀아'가 아니다. 가장 듣고 싶은 말은 "쉬면서 해", "좀 쉬어", "힘들었지? 좀 쉬자"는 말이었다. '학교 갔다 오면 집에서 뒹굴뒹굴 놀기만 하는데 또 뭘 쉬지?' 하는 생각이 들 수 있겠지만, 사실 아이들은 학교에서 하루 8시간에서 12시간 이상 공부를 하고 온 것이다. 게다가 알고 싶고 배우고 싶고 관심이 가는 과목만 골라서 배우는 게 아니라 배워야 하니까 배우고, 이해가 안 되면 시험을 위해 억지로 외우기라도 해야 하는 지적노동을 하고 온 것이다. 방과 후 학원수업까지 듣고 왔다면 아이가 하루에 소화해야 하는 지식의 양은 소화불량 단계다. 집에 돌아오면 아무 생각 없이 그냥 쉬고 싶은 것이 당연하다. 부모가 무조건 인정하고 지지해주는 휴식 시간이 채 30분이 안 될지라도 지친 아이들이 부모로부터 '힘들었지? 이제 좀 쉬어'라는 말을 듣고 싶어하는 것은 무리한 요구가 아니다.

신기하게도 두 번째로 아이들이 듣고 싶어하는 말은 "괜찮아"라는 말이었다. '괜찮아'라는 말은 사실 어른들에게는 크게 공감되지 않는 말이다. 괜찮다고 말하는 마음에는 '아쉽지만 어쩔 수 없지 뭐'라는 마음이 담겨 있기 때문에 마지못해 인정하고 받아들여야 할 때 주로 사용하는 까닭이다. 그런데 아이들은 부모로부터 '괜찮아'라는 말을 듣고 싶어한다.

'괜찮다'라는 단어를 국어사전에서 찾아보면 다음의 두 가지 뜻이 나온다.

1) 별로 나쁘지 않고 보통 이상이다. 예) 처음치고는 괜찮은 솜씨인데?

2) 탈이나 문제, 걱정이 되거나 꺼릴 것이 없다. 예) 상처가 깊지 않으니까 괜찮을 거야.

'괜찮아'라는 형용사에서 아이들이 진짜 듣고 싶은 말의 의미는 무엇일까?

놀아도 괜찮아, 공부 못해도 괜찮아, 게임해도 괜찮아, 스마트폰 해도 괜찮아, 야동 봐도 괜찮아, 머리 염색해도 괜찮아, 화장해도 괜찮아…. 아마도 이런 무한정한 허락을 원하는 것은 아닐 것이다. 아이들이 원하는 말의 의미는 '마음에 들지 않은 결과가 나왔어도 괜찮아', '실수해도 괜찮아', '잘못했지만 괜찮아. 다시 하면 돼'가 아닐까. 이런 뉘앙스의 위로와 격려의 말이 듣고 싶은 것은 아닐까.

세 번째로 듣고 싶은 말은 "지금도 잘하고 있어"라는 말이었다. 아이가 똑똑하면 똑똑한 대로 부모는 지금보다 조금 더 잘해주길 바란다. 그래서 아이에게 동기 부여가 되고 용기를 준다고 생각되는 말을 골라서 한다.

"이번에 5등 했으니 조금만 더 열심히 하면 1등 할 수 있겠네."

"하나만 안 틀리면 백 점인데. 조금만 더 열심히 해봐."

"이렇게 계속하면 다음 학기랑 내년에는 더 잘하겠다."

이런 말들은 아이에게 용기를 주고 동기 부여가 될까?

'조금만 노력하면 진짜 잘할 수 있겠다'는 말을 들으면 아이들은 '지금 나는 나름대로 노력하고 있는데 부모님을 만족시키지 못하는구나. 아직도 난 부족하구나' 하며 실망감을 느낄 수 있다. 물론 부모는 그런 의미로 말하는 게 아니지만, 듣는 아이는 다르게 생각할 수 있다. 지금의 내 모습으로는, 지금의 내 성적으로는 만족하지 않는 부모를 보며 얼마나 더 노력해야 하는지 조바심이 난다.

"네가 더 잘하고 싶어하는 것도 알고, 더 잘할 수 있다는 것도 알아. 하지만 지금도 잘하고 있으니까 괜찮아. 천천히 쉬면서 해. 엄마 아빠는 지금의 네 모습으로 충분히 만족하고 감사해."

아이들은 이런 말이 듣고 싶지 않을까. 부모는 지금도 잘하고 있다고 인정해주면 아이가 노력하는 것을 멈추거나 더 후퇴할까 봐 말을 아낀다. 그래서 '조금만 더 하면 되겠다'는 말로 달리는 말에 채찍질을 하듯이 아이를 독려한다.

그런데 모든 아이에게는 더 나아지고 싶고, 더 잘하고 싶은 마음이 있다. 더 나은 모습으로 부모를 기쁘게 해주고 싶은 마음이 아이에게 있다는 것을 인정해줘야 한다. 그래야 지금도 잘하고 있으니 걱정하지 말고 쉬면서 해도 괜찮다고 기꺼이 말할 수 있게 된다. 부모가 지금도 잘하고 있다고 인정해주면 아이들은 어제까지 나의 실수나 나의 모습을 걱정하지 않고 부담 없는 마음으로 더 잘하려고 노력하게 된다.

"괜찮아. 지금도 잘하고 있으니까 천천히 쉬면서 해."

이 한 문장은 아이들이 부모에게 가장 듣고 싶은 말이다. 아이를 있는 그대로 인정해주면서 마음을 다독이는 말을 하고 싶은데 마땅한 말이 생각나지 않는다면 '사랑해', '파이팅', '힘내!' 대신 이렇게 말해보라.

"괜찮아. 지금도 잘하고 있으니까 천천히 쉬면서 해. 결국은 다 잘될 거야."

이 말은 노력하면서도 문득문득 불안한 자신을 잘하고 있으니 걱정하지 않아도 된다고 부모가 인정해주는 말이다. '과연 내가 원하는 일을 할 수 있을까?', '어른이 되면 나도 어엿한 직장인이나 전문가가 될 수 있을까?' 궁금하고 불안한 아이에게 지금 노력하는 모습만으로도 충분히 가능성이 있다고 인정하고 격려해주는 말이 된다. 그래서 아이 스스로 '나도 희망이 있구나', '이대로만 해도 괜찮구나'라고 생각하게 만든다. 부모의 말을 통해 자신을 믿고 기대하게 되는 것이다. 스스로 더 열심히 하고 싶은 마음 자세를 갖게 되는 것이다.

마지막 설문으로는 부모님께 꼭 하고 싶은 말을 종이에 적어보라고 했더니 아이들의 대답은 각 집안의 사연만큼이나 다양하게 나왔다. 그렇지만 그 와중에도 공통적으로 많이 나온 말이 있었다.

'엄마 아빠, 건강하세요.'

'잘할게요.'

'걱정하지 마세요.'

'사랑해요.'

'싸우지 마세요.'

사춘기가 된 아이들이 매일 보여주는 모습은 무뚝뚝하고 까칠한 것 같은데, 마음속 깊은 곳에는 부모의 건강을 염려하고 자기도 뭔가를 잘해서 부모님을 기쁘게 해드리고 싶은 마음이 있다. 그 마음을 알아줘야 한다. 표현되지 않은 그 마음을 읽어주면서 아이를 대해야 한다. 불쑥불쑥 내뱉는 말이 아이의 전부는 아니다. 마음 깊이 고여 있는 부모를 향한 사랑도 기억해야 한다.

명령만으로는 아이가
움직이지 않는다

사춘기가 빨라지고 있다는 말에는 모든 부모가 동감을 한다. 초등학교 4학년이면 사춘기가 시작된다는 말에도 고개를 끄덕인다. 부모에게 하는 말이 까칠해지거나 불러도 대답이 늦고, 존댓말이 아닌 반말 비슷하게 하면서 말이 짧아지기 시작했다면 아이에게 사춘기가 왔다는 신호다.

아이가 어릴 때는 그게 무엇이든 '하면 안 돼!' 한마디로 통제할 수 있다. 잠깐 징징대며 울기는 해도 부모가 안 된다고 하면 안 되는 것으로 알고 곧 멈춘다. 그런데 사춘기가 되면 똑같은 일에도 '왜 나만 안 돼?', '왜 우리 집만 안 돼?' 하면서 안 되는 이유를 묻기 시작한다.

부모 입장에서는 아이가 뻔히 안 되는 것을 알면서도 반항적인 말투로 물으면 마치 따지는 것 같아서 기분이 나빠진다. 일종의 도전으로 여겨지는 것이다. 이때 대부분의 부모가 이렇게 말한다.

"한 번 안 된다고 하면 안 되는 줄 알아야지 왜 똑같은 말을 자꾸 하게 하니?"

그런데 아이가 '왜 나만 안 돼?'라고 이유를 물어오는 때가 정말로 중요한 순간이다. 이때야말로 부모가 대화를 통해 중요하게 생각하는 것, 이를 테면 삶의 가치관이나 우선순위 등을 가르칠 수 있는 기회가 되기 때문이다.

"이런 구식 핸드폰을 가지고 다니는 애는 우리 반에서 나뿐이야. 요즘은 유치원 애들도 신상 스마트폰을 가지고 다닌다고."

"귀가 시간이 7시라는 건 말이 안 돼. 학교 끝나고 애들하고 잠깐 돌아다니면 금방 7시란 말이야. 그러면 하고 싶은 건 아무것도 못해."

"메이크업은 요즘 기본이에요. 친구들도 다 하는데 나만 안 하면 좀 창피하고 그래요."

스마트폰부터 시작해 귀가 시간, 화장, 옷차림 등 아이들이 '왜 나만 안 되느냐'고 따지는 내용은 다양하다. 하지만 많은 부모가 '그래, 남들 다 하는데 너만 안 된다고 해서 네가 안 할 것도 아니고' 하면서 어쩔 수 없이 눈감아주는 것들, 즉 '요즘 애들은 다 그러려니 하는 것들'은 사실 부모 눈에는 그다지 허락하고 싶지 않은 것들이다.

이럴 때 아이의 말을 '왜 나만 안 돼?'에서 '난 괜찮아요'로 바꾸려면 어떻게 해야 할까? 부모가 아이에게 어떻게 말해야 좋을까? 무조건 부모의 권위로 금하면 아이들이 순순히 따라올까?

차분한 대답으로 가르쳐야 할 시기

사춘기 아이가 원하는 것을 교육 차원에서 금지해야 할 경우에는 귀찮더라도 부모가 이런 것들을 금지하는 이유를 설명하고, 대화로 설득하는 과정을 거치는 것이 최선의 방법이다. 어릴 때처럼 단호하게 금지만 하면 아이가 순순히 따르지 않는다. 그 자리에선 수긍하는 듯해도 속마음은 그렇지 않다. 때때로 부모에겐 귀찮고 힘든 일이 될 수 있겠지만 사춘기 아이에게는 말로 이유를 설명해줘야 한다.

"네 말처럼 유치원생도 스마트폰을 들고 다닌다는 건 엄마도 알아. 그래도 엄마 아빠는 네가 봐야 할 것과 보지 말아야 할 것을 스스로 결정할 수 있는 판단력이 생길 때까지는 스마트폰을 허락하고 싶지 않아. 스마트폰을 사주고 보지 마라, 하지 마라 하는 것보다는 그런 유혹에 빠질 환경을 가급적 만들어주지 않는 것이 현명하다고 생각하거든. 좀 불편해도 네가 중학생이 될 때까지 그 정도의 불편은 참아주었으면 해."

"7시 귀가 시간이 무리라고 생각하지 않아. 더 늦어지면 친구들과 실컷 어울려 노느라 귀가 시간을 잊어버릴 수 있을 거야. 대신 7시 전까지는 친구들과 노는 것에 대해 엄마가 간섭하지 않잖아."

"지금은 자연스러운 얼굴이 가장 예뻐. 친구들이 하니까 나도 해야 한다고 생각한다면, 앞으로 다른 일에 대해서도 그렇게 할 거니? 엄마는 자기 생각대로 움직이고 행동하는 사람이 훨씬 예쁘고 멋있다고 생각해."

물론 '알겠어요'라고 하다가 어느 날 갑자기 '나도 다른 애들처럼 하면 안 돼?' 하고 물어올 수 있다. 그때는 조금 더 주의를 기울여 '이미 안된다고 했는데 허락해야 할 특별한 이유가 생긴 거니?' 하고 되물을 필요가 있다. 어제는 없어도 혹은 안 해도 괜찮다고 했던 것을 오늘 새삼스럽게 다시 물어온다면 아이 생각에 변화가 생겼거나 다른 일이 발생했다는 뜻이기 때문이다. 이처럼 아이가 사춘기가 되면 부모는 보다 차분한 말로 상황을 풀어가면서 아이를 가르치고 이끌 시기가 왔음을 알아야 한다.

부모가 아이의 말에 화내지 않고 차분하게 생각을 말해주면 아이는 부모가 말하는 바대로 스스로를 설득시켜 생각을 바꿔나간다. 이런 과정을 통해 자기의 상황을 객관적으로 정리하는 방법도 배운다. 만약 앞의 상황에서 아이에게 어떤 설명도 하지 않고, 무조건 명령하는 식으로 윽박질렀다면 어떻게 되었을까? 아이는 누군가와 다른 의견을 나누는 법이나 자신의 의견을 정확하게 전달하는 법을 배우지 못할 것이다. 무조건 거부 당했다는 생각에 마음의 문을 닫아버릴 수도 있다. 아이가 사춘기가 되면 말에 더욱 신경을 써야 하는 이유다.

흔히 아이가 초등학교에 입학하면 부모의 관심사는 자연스럽게 아이의 성적으로 이동하기 때문에 일상적인 대화를 나누는 일에 소홀하기 쉽다. 하지만 사소한 이야기라도 기분 좋게 건네면서 날마다 아이의 생각과 감정을 확인하고 들어보는 시간이 필요하다. 그 작은 시간들은 훗날 아이와 부모에게 사춘기 성장통을 견뎌낼 건강한 토대가 되어준다.

사춘기에 부모의 말이
미치는 영향

10대는 '남이 나를 어떻게 생각하는가'에 대해 자유롭지 못하다. '나는 누구인가'에 대한 답을 알고 싶은데 스스로 '나는 이런 사람이다'라고 정의 내릴 수 없을 때, 가장 쉽게 영향받는 것이 주위 사람들이 나에게 하는 말이다.

그중에서도 가장 큰 영향을 주는 건 부모의 말이다. 부모만큼 날마다 비슷한 말을 비슷한 상황에서 반복해주는 사람이 없기 때문이다. 부모가 날마다 하는 말은 아무리 듣기 싫어도 듣게 되고, 그렇게 자주 듣게 되는 말은 알게 모르게 머릿속에 저장되어 사고 형성의 근간이 된다. 특히 예민한 사춘기 시절, 자아 형성과 관련된 말은 아이에게 여지없이 그대로 투영된다.

"넌 어려서부터 참 착하고 말이 없었어. 어디서나 책을 읽었지. 하도

조용해서 돌아보면 혼자 책을 보고 있었어."

이런 말을 듣는 아이는 은연중에 '나는 늘 책을 읽는 아이'라는 자아상을 만든다. 반면, "넌 어려서부터 잘하는 게 하나도 없었어"라는 말을 듣는 아이는 할 수 있는 일을 찾아보지도 않고, '난 아무것도 못하는 아이'라는 생각이 자동으로 머릿속에 입력된다.

안타까운 점은, 대부분의 부모가 아이가 못한 것이나 틀린 것을 지적하고 바로잡아주는 데에는 열심이지만 반대의 경우에는 인색하다는 사실이다. 아이가 뭔가를 잘하는 것은 당연하게 생각해 특별히 눈여겨보거나 칭찬하지 않는 경향이 있다.

사춘기 정체성은 부모가 '늘 하는 말'로 형성된다

사춘기 아이에게 부모의 말은 건축물의 콘크리트 뼈대와 같다. 아이는 부모가 평소에 자주 하는 말을 기둥으로 삼아 그 위에 '나'라는 건물을 세운다. 아이는 순간순간 내가 누구인지, 무엇을 잘하는지가 궁금한데 부모로부터 잘하는 것이나 특별한 면에 대한 말을 듣지 못한 채 성장한다면 어떻게 될까? 약한 기둥 위에 세워진 위태로운 건물처럼 약하고 흔들리기 쉬운 자아상을 갖게 될 것이다.

누구와 비교해서 네가 더 뛰어나니 좋다라거나 어떤 경쟁에서 혹은 시험에서 좋은 성적을 거둬서 네가 특별하다가 아니라, 너의 존재 자체가 특별하다고 말하고 격려해주는 것이 중요하다. 아이들은 부모의 그런 말들을 들으면서 자기 자신을 만들어간다.

살면서 인생의 결정적인 위기를 만났을 때 떠오르는 것은 수학 공식도 과학의 법칙도 아니다. 영어 문장도 아니고, 아름다운 시구는 더더욱 아니다. 그것은 부모가 늘 나에게 해주었던 평범한 말이다. 이것이 아이를 살리기도 하고 죽이기도 한다.

"기죽지 마라."

다섯 살 때 사고로 하반신 마비가 된 한 소녀를 일으켜 세워 서울대학교 법학대학원에 입학하게 만든 힘은 부모가 늘 반복해서 들려주던 '기죽지 마라'는 말이었다고 한다. 장애 때문에 학원에서 거절당했을 때, 장애 때문에 다른 사람들의 동정 어린 말을 들었을 때, 장애 때문에 애써 두드린 마음의 문이 닫혔을 때도 그 소녀를 일으켜 세운 것은 세상에 대한 복수심이 아니라 부모가 늘 해주던 '기죽지 마라'는 평범한 말이었다.

아이는 부모가 만들어놓은 집에서 밥만 먹고 자라지 않는다. 부모가 말로 지은 '언어의 성'에서 부모가 건네주는 위로와 격려의 말을 먹고 자란다. 그 대화의 성에서 아이는 더 깊고 넓게 뿌리를 내리고 자란다.

문제를 일으키는 대화 vs
문제를 해결하는 대화

흔히 부모는 무언가 한 가지가 마음에 들지 않으면 마음에 안 드는, 고쳐지지 않는 그 한 가지가 쳐놓은 덫에 걸리고 만다.

"스마트폰 좀 그만할 수 없어?"

부모는 참고 참다가 한마디하는 거지만, 아이에게는 별안간 느닷없는 일이 될 수 있다.

"아, 왜."

"너 아까부터 계속 그러고 있잖아."

"아닌데."

"아니긴 뭘 아니야. 하루 종일 그것만 붙잡고 있잖아."

결국 아이와의 대화는 '왜 그게 안 되니?', '왜 그걸 못하니?' 같은 비난의 말로 결론을 맺게 된다. 더 이상 대화가 진행되지 않는다.

아이와 이야기를 하다 보면 부모는 결국 화를 내게 된다. 자신을 화나게 하려고 아이가 일부러 그랬다는 생각마저 든다. 그래서 아이가 한 행동에 비해 지나치게 욱하고 화를 낸다.

"지금 또 스마트폰 게임하는 거야?"

"숙제 다 하고 하는 거예요."

"숙제가 다야? 숙제만 하면 공부 다 한 거야? 그러니까 성적이 그 모양이지."

이렇게 전투를 알리는 대화가 시작된다.

숙제만 하고 노는 아이를 보면서 부모는 10년 후 낙오자가 되어 제 앞가림 못하는 아이를 상상하는지도 모른다. 그러니 말이 곱게 나가지 않는다. 잘못하고 있는 아이를 발견하면 욱하고 화부터 내게 된다. 그러다 아이가 반항하며 뭐라고 대꾸하면, 꾹꾹 눌러두었던 말들을 한꺼번에 쏟아놓는다. 말을 하면 할수록 점점 더 감정에 휩쓸려 대화의 목적은 잊어버리게 된다.

아이와 대화를 할 때는 '나는 아이를 돕고 격려하기 위해서, 아이 기분을 편안하게 해주기 위해서 대화한다'는 사실을 기억해야 한다. 아이에게 '언제든지 너에게 힘이 되고 싶고, 너에게 관심이 있으며, 너의 감정과 생각에 대해 함께 이야기하고 싶다'는 메시지를 전달해야 한다. 어떤 상황에서도 감정 섞인 말로 아이를 쉽게 단정 짓거나 비난하는 것은 대화에 도움이 되지 않는다.

만약 어느 날 아이가 이런 질문을 한다면 어떻게 말하겠는가?

"엄마, 난 '은따'인가 봐. 오늘 옆 친구한테 말을 걸었는데 완전 모른 척했어."

이럴 때 부모들의 반응은 대체로 다음과 같다.

"친구가 못 들었나 보네. 너도 엄마 말에 대답 안 할 때 많잖아."

"은따라고? 엄마가 선생님한테 말해줄까?"

"네가 똑똑하고 공부만 잘해봐라, 다른 애들이 너를 무시하나."

부모는 자기 생각대로 아이의 상황을 판단하고 결론을 내린다. 안타깝게도 아이 마음을 정확히 읽은 반응은 없다.

아마도 아이는 혼자 이런 생각을 했을 것이다.

'애들이 내 말을 무시하네. 내가 뭔가 잘못했나? 학교를 그만두어야 할까? 전학을 가야 할까? 학교 가기 싫다. 어떡하지?'

'나는 사랑받을 수 없는 존재인지도 몰라.'

아이가 친구가 없다는 말을 할 때는 이렇게 많은 생각과 감정이 숨겨져 있다. 그 복잡한 마음을 '난 은따인가 봐' 하며 아무렇지 않게 말한다.

아이는 부모에게 위로를 받고 싶었던 것인지도 모른다. 그런데 안타깝게도 부모는 아이의 마음을 읽지 못하고 자신이 생각한 대로 상황을 이해하고 결론을 지었다. 만약 친구가 없다는 아이의 말에 이렇게 반응해주었다면 어땠을까.

"속상했겠다. 친구가 왜 그랬을까? 뭔가 사정이 있었을지도 모르니까 내일 한 번 더 말해보는 게 어때? 어떻든 간에 넌 엄마한테 가장 소중한 사람이야."

사춘기 아이 마음을 여는 대화

말로 해결할 수 없는 문제는 그 어떤 것으로도 해결할 수 없다. 도무지 해결할 수 없을 것 같은 사춘기 문제 증상도 '대화'라는 관문을 통과해야 한다. 그래야 다음 단계로 나아갈 수 있다. 아무리 큰일이라도 말로 감정을 내보이고 생각을 나누다 보면 해결의 길이 열린다.

"선생님, 좀 억울해요. 저도 선생님과 똑같은 말을 아이에게 수도 없이 하거든요. 그런데 왜 엄마인 제 말은 귓등으로도 안 듣고, 선생님이 한 말은 꼭 지켜야 한다고 할까요?"

사춘기 아이 상담 후 가끔 부모로부터 듣는 하소연이다.

왜 그럴까? 왜 같은 말을 했는데 누구의 말은 듣고, 누구의 말은 듣지 않을까? 한두 마디로 대답하기는 어려운 질문이다.

사춘기 아이와는 어떻게 대화해야 할까? 아이를 성장시키고 좋은 관계를 유지하도록 도우며, 긍정적인 변화를 이끌어내는 대화는 어떻게 하는 것일까?

첫째, 대화란 두 사람이 주고받는 이야기다. 말 그대로 주고받아야 한다. 한 사람의 말이 70퍼센트 이상을 차지한다면 그것은 대화가 아니다. 강의나 설교 혹은 훈계다. 따라서 양적인 면에서 비슷한 비중으로 말이 오고가는 게 중요하다. 아이에게도 부모 못지않게 말할 기회를 준다는 뜻이다.

둘째, 아이의 말이나 생각을 부모의 의견만큼 똑같이 중요하게 여겨야 한다. 아이의 생각이 잘못되었다는 것을 지적하고 설득하기 위한 대화인지, 아이를 이해하며 부모의 생각을 바꾸기 위한 대화인지 생각해본다. 늘 부모의 의견만 이기는 것은 대화가 아니다.

셋째, '나의 감정'이나 '나의 생각'만큼 '너의 감정'이나 '너의 생각'도 중요하며 배려하고 있다고 아이가 느끼는지 살펴야 한다. 부모가 자신의 감정에만 초점을 맞추면 아이의 감정을 놓치기 쉽다. 아이의 생각과 감정의 변화를 알기 위해 대화하는 것이라는 사실을 잊지 말아야 한다.

넷째, 대화를 하는 동안 부모가 양보하고 내려놓아야 할 것은 무엇이고, 아이가 변화하고 포기해야 할 것은 무엇인지 생각한다. 부모가 주장하고 얻을 것에만 집중하다 보면 대화는 일방적인 주장과 강요로 끝나기 쉽다.

사춘기 아이가 가장 바라는 일 중 하나는 내 마음을 알아주는 누군가와 대화를 나누는 것이다. 자신의 상황과 마음을 이해해주면서 어떤 말을 해도 쉽게 판단하거나 비난하지 않는다면 언제 어디서 누구하고라도 대화를 나누고 싶은 것이 10대의 마음이다.

부모와 대화를 나누는 동안, '세상 어떤 일도 지금 이 대화 시간을 방해할 수 없으며, 어떤 사람도 부모에게 나만큼 중요하지 않구나' 하는 느낌을 아이가 받았다면 그 대화는 어떤 내용으로 무엇을 주고받았든 일단 성공한 대화다.

문제 행동은
말로 고칠 수 있다

"아휴, 정신없어. 진득하니 앉아서 공부할 수 없어?"

"욕하지 마. 그렇게 욕하지 말라고 했잖아."

"안 자니? 아직도 SNS 하는 거야?"

어제 지적한 행동을 오늘도 반복하는 아이에게 똑같은 잔소리를 하고 있는 자신을 발견하면 어떤 부모라도 말로는 아이를 바꿀 수 없다는 생각을 하게 된다. 특단의 조치가 필요할 것만 같다. 그래서 전문기관이나 전문가를 찾기도 한다.

사춘기가 된 아이의 행동 하나하나가 부모에게는 모두 리모델링 대상이지만 아이는 그 행동이 편하고 좋다. 적어도 부모가 잔소리만 하지 않으면 그게 무슨 상관이란 말인가.

사춘기 아이는 로봇이 아니다. 굳이 로봇에 비유한다면 컨트롤 코드가 고장난 로봇이다. 부모가 아무리 명령어를 입력해도 다른 부호로 자체 전환해버린다. 설령 코드를 바로 읽어 마음을 움직여도 몸이 움직이는 데까지는 또 '해저 3만 리'를 여행하듯 깊고 깊은 고비를 넘겨야 한다.

부모는 당장 눈에 거슬리는 행동을 지적하고 꾸짖는 데 바빠서 아이가 왜 그런 행동을 하는지 생각할 기회를 놓친다. 그러나 아이의 생각과 마음을 알게 되면 행동을 이해할 수 있게 된다.

생각을 바꿔주면 행동이 달라진다

사춘기 아이의 문제 행동에는 대체로 일정한 패턴이 있다. 그 패턴을 가장 잘 찾아낼 수 있는 사람은 부모다. 조금만 관심을 가지고 지켜보면 어떤 상황에서 어떻게 움직이는지 패턴을 찾아낼 수 있다. 그것을 메모하고 기억했다가 아이와 대화를 나누면 문제 행동을 조금은 교정할 수 있다.

"넌 숙제가 밀리거나 시험 스트레스가 생기면 말이 거칠어지고 작은 일에도 쉽게 짜증을 내는 것 같아. 책상에 가만히 앉아 있지 못하고 거실을 계속 불안하게 돌아다니기도 해. 너도 알고 있니?"

"네가 사 달라고 조르는 걸 사주지 않거나 하고 싶은 일을 안 된다고 하면 넌 욕을 하면서 소리를 지르는 경향이 있어. 단지 화를 분출하고 싶은 거니, 아니면 화를 내면 엄마가 들어줄 거라 생각하는 거니?"

"너에게 친구가 중요한 건 알겠어. 하지만 늦은 시간까지 꼭 친구랑 같이 할 일이 있는 거니?"

물론 아이는 내가 언제 그랬느냐며 펄쩍 뛸 수 있다. 알고 있어도 부모에게 자신의 잘못된 행동을 순순히 인정하는 10대는 많지 않다.

행동이 있기 전에 말이 있고, 말은 생각에 바탕을 두고 있다. 그래서 생각이 말로, 말이 행동으로 나타난다. 아이의 어떤 행동이 마음에 들지 않아서 고치고 싶다면 그 행동을 유발하는 '생각'을 알아야 한다. 그래서 대화가 필요하다. 대화를 하다 보면 문제 행동을 통해 아이가 얻고자 하는 것이 무엇인지 알게 된다. 행동 교정을 하지 않아도 그 행동을 유발하는 생각을 바꿔주면 문제 행동은 자연스럽게 바뀌거나 사라질 수 있다.

부정적인 표현 대신
긍정적인 표현으로

"난 우리 엄마 말을 잘 안 듣는 아이에요"라고 당당하게 말하는 초등학교 5학년 여학생이 있었다. 왜 그렇게 생각하느냐고 물었더니, 얼굴 표정 하나 바뀌지 않고 "우리 엄마가 난 엄마 말을 잘 안 듣는다고 했어요"라고 대답했다. 부모가 어떤 경우에도 아이에게 긍정적인 말을 하도록 노력해야 하는 이유가 여기에 있다. 설령 그것이 잘못을 바로잡고 훈육하기 위한 말이었다고 해도 부정적인 표현보다 긍정적인 표현으로 돌려 말해 주는 게 좋다.

아이들은 사춘기가 되면 질문이 많아진다. 주된 탐구 대상은 '자기 자신'이다. 날마다 매 순간 나에 관한 질문들이 머릿속에서 떠나지 않는다. 나를 만드는 주된 재료는 '부모의 말'이다. 부모의 말을 통해 아이는 나에 대한 사고와 인지를 만든다. 그런데 나를 형성하는 재료가 부정적이라면 당연히 부정적인 자아상을 만들 수밖에 없다.

나는 내 아이들에게 어릴 때부터 '너희들은 달라. 너희들은 특별해'라고 말해주곤 했다. 이 말을 기회가 있을 때마다 자주 했다. 그래서 두 아이는 자기들이 아주 특별하고 다른 사람이라고 믿고 자랐다. 물론 어느 순간 '난 그렇게 특별하지 않고 평범한 아이들 중 한 명이구나'라며 잠시 실망하기도 했지만, 그래도 늘 '난 특별하고 다르다'는 자긍심을 가지고 산다.

부모가 쓰지 말아야 할 말들

똑같은 사실이나 정보를 가지고도 무엇을 강조하느냐에 따라 사람의 머릿속에 다르게 입력된다. 예를 들어 암에 걸린 환자에게 수술을 권하면서 '100명 중 50명은 산다'는 설명과 '100명 중 50명은 죽는다'는 설명을 들으면 어느 쪽이 수술을 하겠다고 하겠는가? 사실은 같아도 50명이 산다는 쪽이 더 설득력 있게 들린다.

마찬가지로 재학생 100명 중 매년 80명은 자신이 원하는 대학교에 진학한다는 말과 매년 20명은 자기가 원하는 대학교에 진학하지 못한다는 말은 어디를 강조해 말하느냐에 따라 듣는 사람이 다르게 받아들일 수 있다. 80명을 강조하면 '나도 그 80명 안에는 들어갈 수 있겠지' 하는 기대가 생기는 반면, 20명을 강조하면 나도 그 20명 안에 드는 것은 아닐까 지레 겁을 먹고 걱정하게 된다.

　사람은 긍정적인 말을 들으면 긍정적으로 상황을 받아들이게 되지만, 부정적인 것이 강조되는 말을 들으면 부정적으로 상황을 받아들이게 된다. 80대 20으로 결과가 다를 때에도 영향을 주는데, 하물며 50대 50의 결과를 알 수 없는 상황이라면 당연히 행동할 수 있도록 긍정적인 면을 강조해서 말해주는 게 바람직하지 않을까. 아이들은 부모의 말을 먹고 자란다. 아이를 바르게 성장시키고 긍정적인 변화를 이끌어내려면 부정적인 말보다는 긍정적인 말로 표현해줘야 한다.

　더불어 '절대', '늘', '맨날', '항상'과 같은 말은 사용할 때 조심해야 한다. 이러한 부사어는 주로 어떤 상황을 획일적으로 묶어서 판단하거나 비판할 때 사용된다. 자주 사용하다 보면 그 단어가 갖는 뜻도 희석될 뿐 아니라 듣는 사람도 그 단어가 들어가지 않으면 상황을 덜 심각하게 받아들이게 된다. 예를 들어 '게임은 절대 안 된다'고 여러 번 말했지만 결국은 아이의 성화에 못 이겨 물러난 경우가 얼마나 많은가. 차라리 게임을 주중에는 하지 않고 주말에 시간을 정해두고 하는 규칙을 만드는 것이 더 효과적이다. 아이에게도 '절대 안 된다'고 했다가 성화에 못 이겨 물러나면 결국 '엄마가 하는 말은 지키지 않아도 된다'라거나 '어겨도 어쩔 수 없다'는 잘못된 생각을 심어줄 수 있다.

　한편, 일종의 말버릇처럼 '늘', '맨날', '항상' 같은 말을 남용하는 부모도 있다. 이런 말들은 주로 칭찬보다는 아이의 잘못이나 고질적인 문제 행동을 꾸짖을 때 쓰게 되는데, 아이로 하여금 '나는 가능성 없는 문제아'

라는 좌절감을 심어줄 수 있으므로 사용을 줄이는 게 좋다.

아이는 부모의 말에 의해 조각되는 존재다. 매 순간 말로 내 아이를 끊임없이 조각하며 만들어가고 있다는 사실을 기억하자. '넌 커서 이런 사람이 될 것이다'라는 부모의 희망적인 바람과 말은 아이를 아름답게 조각하는 끌과 망치가 된다.

대화는 하루하루
쌓이는 습관이다

방 안에 있던 민지가 갑자기 소리를 지른다.

"엄마, 내 티셔츠 못 봤어? 내가 분명히 여기에 벗어놨는데 안 보여."

"잘 찾아봐. 네가 벗어놨으면 거기 있겠지."

"없으니까 그렇지. 왜 말도 없이 치우냐고."

"안 치웠어."

"아이씨, 그럼 어딨어!"

"너 요즘 왜 그렇게 짜증을 내니?"

"내가 언제 짜증냈다고 그래. 입을 만한 옷이 없으니까 그렇지."

"옷이 없어? 옷장에 이렇게 걸려 있는 것들은 뭐야."

"누가 옷이 없대. 입을 만한 옷이 없다는 거지. 엄마도 외출할 때 항상 그러잖아. 옷은 많은데 입을 게 없다고."

사춘기가 되면 고분고분했던 아이의 말투에 변화가 생긴다. 짜증 섞인 말투는 기본이고, 친구들끼리 쓰는 거친 말과 욕도 툭툭 튀어나온다.

민지처럼 옷장 앞에서 짜증내는 빈도가 많아지는 것은 외모에 관심이 많아졌다는 사인이다. '옷이 없는 게 아니라 입을 만한 옷이 없다'는 아이의 말은 나도 멋부리고 싶은데 지금 옷들은 통 마음에 안 든다는 뜻이다. 다른 의미에선 내가 좋아하는 옷을 사고 싶다는 말이기도 하다.

이것은 관심 가는 이성이 생겼다는 뜻일 수도 있고, 자기 마음에 드는 옷을 쉽게 사는 친구가 부럽다는 뜻이 될 수도 있다. 즉, 아이의 생활에 무언가 변화가 있다는 사인이다.

수학여행 이야기가 나올 때마다 영준이는 갑자기 재미없는 얼굴로 바뀐다.

"엄마, 나 수학여행 안 가면 안 돼?"

"수학여행을 안 간다고? 왜?"

"그냥 가기 싫어. 집에서 쉬고 싶어."

"다 가고 싶어하는 수학여행을 안 가고 집에서 쉬겠다고?"

"응. 가고 싶긴 한데… 가기 싫어."

"너 어디 아프니?"

"아니, 암튼 그러고 싶다고."

수학여행이나 소풍은 학교를 안 간다는 이유만으로도 모든 아이들이 목숨 걸고 기다리는 일이다. 그런데 수학여행이나 소풍에서 빠지겠다고 말하는 것은 무슨 의미일까?

이는 친구관계에 어려움을 겪고 있다는 사인이다. 사실대로 말하기가 어려우니까 가기 싫다, 그냥 쉬고 싶다는 말로 이유를 댄 것이다.

수학여행이나 소풍이 즐겁지 않다면 여러 가지 이유가 있을 수 있다. 가장 일반적인 이유는 함께 어울릴 친구가 없는 경우다. 다른 아이들은 모두 친구들과 어울려 돌아다니는데 혼자만 버스에 있거나 혼자 밥을 먹을지도 모른다는 걱정이 들기 때문이다. 그럴 바에야 차라리 가지 않는 게 낫다고 생각한 것이다.

학교에서 친구들에게 괴롭힘을 당하는 경우도 수학여행을 꺼리는 이유가 될 수 있다. 친구들과 밤을 보내야 하는 상황이 두려운 것이다. 괴롭힘을 당해도 자신을 도와줄 사람이 없다는 걸 안다. 그런가 하면, 집을 떠나는 것 자체가 두렵고 싫을 수도 있다. 엄마의 도움 없이 일어나 샤워하고 옷을 갈아입는 이런 일상적인 일들이 막연하고 싫을 수 있다.

앞서 영준이는 은연중에 엄마에게 친구관계에 어려움을 겪고 있다는 사인을 보냈다. 그러나 엄마는 그것을 알아채지 못했다. 문제가 생기면 영준이 엄마는 이렇게 말할지도 모른다.

"영준이는 친구가 없다고 말한 적 없어요. 수학여행 가기 싫다는 말은 한 적이 있지만…."

사소한 대화가 아이를 바르게 이끈다

민지와 영준이의 사례는 어렵고 힘들더라도 사춘기 아이와 대화하는 일을 왜 멈춰선 안되는지 보여준다. 사춘기가 되면 아이들은 어렸을 때처럼 좋다, 싫다 등의 직접적인 표현보다는 애매하게 돌려서 다른 말로 부모의 마음을 떠보고 부모의 생각을 탐색한다. 이때 부모는 아이 말 뒤에 숨어 있는 속마음을 읽을 수 있어야 한다. 겉으로 하는 말이 전부가 아니기 때문이다.

미세한 속마음을 읽을 수 있으려면 평소 아이와 대화를 많이 나누고, 무슨 말이든 할 수 있도록 편안한 분위기를 만들어주어야 한다. 그날그날 풀어야 할 생각과 의문을 풀지 않고 '나중에 한가한 시간에 말하지 뭐' 하면서 미루다 보면 아이 마음을 읽어야 하는 순간을 놓치게 되고, 결국 예기치 못한 상황과 마주할 수 있다.

주택이든 아파트든 하수구가 막히면 모든 것이 엉망이 된다. 아무리 수도시설이 잘 되어 있고 샤워기에서 뜨거운 물이 펑펑 쏟아져도 하수구가 막히면 다 소용이 없다. 막힌 하수구를 그냥 두면 설거지도 못하고 생리작용도 해결할 수 없다. 화장실 바닥을 뜯어내는 대공사를 감수해야 하는 최악의 상태까지 가지 않기 위해 특별한 비법이 필요한 것은 아니다. 샤워 후 하수구 망에 걸려 있는 오물 등을 매일 집어내면 된다. 이렇게 몇 초만 투자하면 하수구가 막히지 않는다. 날마다 반복되는 사소한 습관이 대공사를 막는 것이다.

아이와의 대화도 마찬가지다. '사춘기'라는 터널을 건너고 있는 내 아이가 질풍노도의 시간을 잘 견디고 건강하고 행복한 아이로 성장하기를 바란다면 일상 속에서 자주 대화를 나누어야 한다. 하루하루 쌓이는 대화는 부모와 아이의 관계를 자유롭고 편안하게 만든다.

사소한 대화 속에서 아이는 위대한 인생을 설계한다. 사소한 말이 생략되었을 때 아이가 잃는 것은 단순한 기회가 아니라, 부모의 지지 아래 만들어갈 수 있는 위대한 인생의 기회다.

PART 2

사춘기 아이와
대화가
어려운 이유

인정하고 싶지 않겠지만, 많은 부모가 아이는 틀리고 부모는 옳다는 전제하에 대화를 시작한다. 또 부모가 대화를 주도하고 아이는 부모 말에 공손하게 대답을 해야 대화가 잘된다고 생각한다. 하지만 그 자리를 벗어난 아이는 그렇지 않다. '우리 부모는 자기 하고 싶은 말만 하는 대화가 안 되는 사람'이라고 생각한다.

판단하는 마음이
대화를 어렵게 한다

지영이 방을 정리하던 엄마는 책상 위에 펼쳐진 노트를 무심코 넘겨 보다가 그대로 얼어버렸다.

'○○ 옵빠, 완전 개멋. 오늘 그 옵빠가 인사를!^^ 이 학원 넘 좋다.'

정성 들여 그린 남학생의 얼굴이 수학문제 속에서 튀어나와 윙크를 한다. 몇 장 더 넘겼더니 이제는 욕이 난무한다.

'○○ 극혐. ㅅㅂ ㅈㄴ. ㅎㅎ. 집에 가기 싫다. 엄마 개짜증.'

그 뒤에 적힌 단어들은 도저히 읽을 수도 없다. 한글인지 기호인지 분간도 안 된다. 내친김에 책꽂이에 꽂힌 노트를 몇 권 빼서 넘겨보았다. 일기 비슷하게 써 내려간 글은 온통 불만과 불평, 싫다, 짜증난다는 식의 한숨이 절로 나오는 내용이었다.

'학교에서 오기만 해봐라. 앞에서는 헤헤 웃으면서 뒤에서는 내가 개

짜증이라고?'

엄마는 상한 기분을 추스르며 오늘이야말로 지영이의 말버릇을 고쳐 줄 시간이라고 생각했다. 아이가 학교에서 돌아오자 엄마는 자신도 모르게 아이 앞에 수학 노트를 툭 던졌다.

"이게 뭐야?"

"보면 몰라? 네 노트지."

"이걸 왜 줘요?"

"너 엄마한테 할 말 없어?"

"헐. 설마 내 노트 본 거야?"

"이제 생각났나 보네. 공부하라고 돈 들여서 학원 보내놨더니 남학생 얼굴이나 그리고, 또 엄마가 어째? 개짜증이라고?"

"…"

"엄마한테 무슨 불만 있어? 며칠 전에 이상한 말 좀 쓰지 말라고 잔소리했다고 그러는 거야?"

"그건, 그냥 장난이야. 아무것도 아니라고."

"아니긴 뭐가 아니야."

"아, 진짜."

"너 안 그래도 계속 벼르고 있었어. 그런 말 계속 쓸 거야, 안 쓸 거야?"

"아이씨, 왜 저래!"

지영이는 정말 억울하다. 엄마가 자신의 노트를 몰래 본 것도 억울한데, 언제 끄적였는지도 모르는 낙서에 저렇게 화를 내다니 더 이해가 안 된다.

　지영이가 수학 노트에 끄적인 낙서처럼 사춘기 아이들이 주고받는 말은 부모에겐 외국어나 마찬가지다. 도무지 알 수 없는 말과 비속어를 일상어로 사용하는 아이를 보면 걱정되고 기분도 상할 것이다. 그래도 궁금한 점이 있다면 먼저 아이의 말(그게 변명이든 설명이든)을 들어야 한다. 듣는 마음이 먼저가 되지 않으면 절대 대화를 이어나갈 수 없다. '오늘 이 점을 꼭 지적해야지' 하고 벼르고 있을수록 대화는 더 힘들어진다. 부모는 어떻게 하면 내가 하고 싶은 말을 할 수 있을까, 내 논리대로 아이의 대답을 얻어낼 수 있을까만 궁리하게 되기 때문이다. 그러면 아이가 아무리 중요한 말을 해도 놓치게 된다.

　앞의 사례에 대해 언급하자면, 비속어나 은어는 또래문화의 일종이기 때문에 10대를 이해하는 도구 정도로 삼는 것이 좋다. 언어 자체에 집중해 아이를 다그치기만 하면 갈등은 커질 수밖에 없다. 차라리 그런 단어를 쓰는 상황에 대해 먼저 묻고, 왜 그런 말을 쓰게 되었는지 등을 듣는 게 낫다. 이때 중요한 건, 아이가 하는 말을 먼저 판단하거나 비난하지 않는 것이다. 이후 비속어 대신 사용할 수 있는 언어를 알려주면 좋다. 물론 그렇다고 아이가 하루아침에 확 달라지진 않을 테지만, 그래도 잘잘못을 깨닫는 계기가 될 수는 있다.

판단하는 마음보다는 '듣는 마음'으로

많은 부모가 아이는 틀리고 부모는 옳다는 전제하에 대화를 시작한다. 그래서 부모가 대화를 주도하고 아이는 부모의 말에 공손하게 대답을 해야 뿌듯한 마음으로 '대화가 잘된다'라고 생각한다. 하지만 그 자리를 벗어난 아이는 그렇지 않다. '우리 부모는 자기 하고 싶은 말만 하는 대화가 안 되는 사람'이라고 생각한다.

사춘기 아이와 대화를 나누기 위해 가장 필요한 것은 '듣는 마음'이지 '판단하는 마음'이 아니다. 부모가 하고 싶은 말이 있더라도 일단 아이가 하는 말을 중간에 자르지 않고 끝까지 들어야 한다. 그러기 위해서는 머릿속을 비워두어야 한다. 그래야 아무 생각 없이 아이 말을 끝까지 들을 수 있다. 그렇게 듣다 보면 비어 있는 머릿속에서 아이에게 해줄 말이 저절로 떠오른다.

"그래, 너도 한번 말해봐. 너도 생각이 있을 거 아니야?"

"그것도 말이라고 해?"

"그게 지금 말이 된다고 생각하니?"

아이와 대화를 하자고 해놓고 다 듣기도 전에 이런 말로 대꾸한다면 아무리 긴 시간 대화를 해도 그건 꾸중 어린 잔소리가 된다. 판단하고 방어하는 마음으로 듣고 있기 때문이다. 이런 일이 몇 번 반복되면 아이는 부모와 대화하기를 꺼리게 된다.

사춘기 아이들은 이해의 대상이자 수용의 대상이다. 때로는 들리는

54

그대로, 보이는 그대로 수용해야 한다. 아이가 이해되어서 수용하는 것이 아니라 이해할 수 없어도 그대로 받아들이는 것이다. 자신의 모습이 그대로 받아들여지고 있다고 느끼면 아이들은 요구하지 않아도 자기 이야기를 다 쏟아놓는다.

감정은 읽지 않고
해답만 이야기한다

성수는 태권도와 유도를 배우는 중학교 2학년 남학생이었다. 그런데 운동하는 아이치고는 어딘가 표정이 어둡고 말수도 적었다.

"너는 중학생인데 운동을 두 가지나 하는구나? 중학생이 되면 공부 때문에 다들 운동을 그만두던데. 특별한 이유가 있니?"

"아빠가 운동을…."

성수가 갑자기 왈칵 눈물을 쏟았다. '아빠와 운동' 사이에 뭔가가 있구나 싶었다.

"중학교 1학년 초에 한 친구가 저를 교실 밖으로 불러냈어요. 따라갔더니 6명이 둘러앉아서 담배를 피우고 있더라고요. 모두들 돌아가면서 한 대씩 피웠지만 저는 '담배 안 피워' 하고 거부했어요. 그런데 일주일 뒤에 그 친구가 저를 또 불러냈어요. 같은 장소로 가보니 이번에는 다른 형들이 기다리고 있더라고요. 친구가 저를 보고 '담배도 같이 안 피우는 게 무슨 친구야?' 하면서 형들하고 같이 저를 때리고 밟았어요. 그날 밤에 아빠가 제 이야기를 듣고 나서는 '네가 힘이 없어서 맞는 거다. 아무도 너를 때릴 수 없게 힘을 키워' 하시며, 다음 날 태권도랑 유도학원에 등록해주셨어요."

"그랬구나. 그래서 운동을 두 개나 하는구나. 운동을 시작한 지는 얼마나 됐어?"

"9개월 정도요."

"혹시 그 친구를 때리고 싶다는 생각을 하니?"

"네, 많이요."

"네가 그 친구를 때리고 싶어하는 건 부모님이 아시니?"

"몰라요."

"그럼, 네가 생각한 친구를 때리고 혼내주는 방법은 뭔지 좀 들어볼까?"

성수는 3시간 동안 지치지 않고 자신의 생각을 모두 털어놓았다. 부모가 들었으면 '말없이 순하고 착한 우리 아들 머릿속에 저렇게 끔찍한 생각이 들어 있다니!' 하면서 심장마비가 왔을지 모른다.

나는 이야기를 들으며 맞장구도 치고, 그런 생각을 하면서 어떤 감정을 느꼈는지 자기의 말로 표현할 수 있도록 되묻기도 했다. 성수는 나와 대화하면서 조금씩 편안함을 찾아가는 듯 보였다.

기분과 감정을 먼저 다독여준다

사건의 처음을 잠시 떠올려보자. 성수는 담배를 피우자는 제안에 자신이 옳다고 생각한 대로 했다가 친구와 선배들에게 집단 폭행을 당했다. 그리고 그날 밤 아빠는 아이에게 문제를 해결할 수 있는 답을 주었다. '네가 강하면 아무도 너를 무시하지 못하고 못 건든다. 네가 스스로 강한 힘을 키워라'라고. 하지만 아빠는 성수가 어떤 기분이었고 어떤 감정을 느끼고 있는지에 대해서는 묻거나 다독여주지 않았다.

성수는 지금도 운동을 하고 학교도 잘 다니고 있다. 부모 눈에는 문제가 사라진 것처럼 보일 것이다. 하지만 성수는 교실에서 그 친구를 볼 때마다 자존심이 상하고 몇 배로 되갚아주고 싶은 분노를 느낀다고 한다. 그런 속마음을 부모에게 말할 수는 없다.

"학교에서 그 애를 볼 때마다 때려죽이고 싶어."

이렇게 말을 하면 부모가 어떤 반응을 보일지 알기 때문이다. 그래서 그런 감정을 억누른 채 운동을 한다. 닫힌 마음도 절대 내보이지 않는다. 성수는 나중에 어렵고 힘든 일이 생겼을 때 부모에게 아무 말도 하지 않을 확률이 높다.

사람은 감정이 상하면 이성이 제시하는 길이 옳다는 걸 알면서도 무시하게 된다. 사람에겐 이렇게 이성적인 해답 못지않게 감정이 중요하다. 하물며 감정에 따라 움직이고 행동하는 특징을 갖는 사춘기 아이라면 더 말해 무엇하겠는가.

10대는 감정이 움직이지 않으면 머리나 손발이 따라오지 않는다. 감정이 상하면 뻔히 알면서도 엇나가는 소리를 한다. 이 때문에 10대와 말이 통하려면 먼저 어떤 감정을 느꼈는지, 무슨 생각을 했는지, 기분이 어땠는지를 쏟아놓게 해야 한다. 그런 다음 그때의 감정과 기분을 인정하는 말을 해줘야 한다.

"말만 들어도 아빠는 화가 난다. 너는 잘못한 게 없는데 친구라면서 선배들까지 데리고 와서 때렸다니 억울하고 분한 게 당연하지. 아빠가 어떻게 너를 도우면 좋겠니?"

"모르겠어요. 그냥 억울하고 짜증나는데 어떻게 해야 할지 모르겠어요. 그래서 더 분해."

"그래, 나라도 그럴 거야. 막 화나고 당한 만큼 돌려주고 싶은 마음도 들 거야."

"교실에서 그 애를 보면 죽이고 싶을 때도 있어."

"그럴 수도 있어. 그런 분노는 자연스러운 감정이지만 그걸 행동으로 옮기는 건 매우 위험하고 잘못된 일이라는 걸 알고 있지?"

"그건 알아요."

"그렇다고 분노와 복수심을 느끼는 너를 자책할 필요는 없어. 누구라도 네 입장이면 그런 기분이 들 거야. 아빠는 앞으로도 네가 그런 감정이 생기면 숨기지 않고 말해주었으면 해. 아빠가 너를 도와줄 수 있도록."

상한 감정을 풀어주지 않으면 아무리 이성적인 해답을 가르치고 설명을 해도 문제가 풀리지 않는다. 중요한 건 이성적인 해답이 아니라 아이의 감정을 먼저 이해하고 헤아려주는 것이다. 성수처럼 친구를 죽이고 싶은 생각이 든다는 위험한 말도 인정해주는 다독거림이 있으면 아이는 자책감을 덜 느끼고 조금씩 방향을 바꿀 수 있다.

같은 상황,
다른 생각

무대도 같고 주인공도 같고 스토리도 같은데 부모와 아이는 서로 다른 시나리오를 손에 들고 서 있다. 상대가 어떤 시나리오를 들고 있을지는 생각하지 않는다. 그저 '내 역할만 충실하면 되지' 혹은 '내 역할만 잘하면 상대는 알아서 따라오겠지'라고 생각한다. 하지만 다른 시나리오를 든 채 각자의 대사만 읊다 보니 극의 진도가 나가지 않는다. 엉뚱한 곳을 바라보며 서로 다른 말만 하고 있기 때문이다.

아이가 가출을 반복하면 부모는 걱정을 하다가도 한편 이런 생각도 든다.

'그래, 어디 세상 무서운 걸 한번 겪어봐라. 그래야 집이 소중하단 걸 알지.'

그렇다면 아이는 어떻게 생각하고 있을까?

'숨 막히게 집에 있는 것보다 친구들과 있으니까 진짜 좋다. 놀다가 새벽에 찜질방 가서 대충 자지 뭐.'

가출이라는 한 가지 상황에서도 부모와 아이는 이처럼 다른 시나리오를 가질 수 있다.

서로 다른 존재라는 걸 인정하자

살다 보면 부부싸움을 할 때가 있는데 부모는 어른들 싸움은 어른들끼리 알아서 해결하면 될 일이라고 여긴다. 하지만 방에서 부모의 말다툼 소리를 듣는 아이들은 이런 생각을 한다.

'내가 말을 듣지 않아서, 내가 공부를 못해서, 나한테 돈이 많이 들어가서 싸우시는구나. 학원을 그만두어야 할까? 내가 없으면 엄마 아빠가 안 싸울지도 몰라.'

아이들은 부모가 자기 때문에 싸운다고 생각하는데 정작 부모는 자식 때문에 산다고 말하니 참으로 아이러니하다.

뜨거운 사우나에 들어가면 어른은 "어, 시원하다!" 하고, 아이는 "아, 너무 뜨거워!"라고 말한다. 각자 뜨거움과 시원함을 느끼는 데 차이가 있기 때문이다. 서로의 차이를 인정하면 아이가 어떤 말을 했을 때 그것이 꼭 부모의 뜻을 거스르는 것만은 아니라는 것을 알게 된다. 단지 아이는 부모와 다르게 느끼고 다르게 생각하는 것뿐이다.

답답하고 말이 통하지 않는다고 대화를 그만두기 전, 아이의 시나리오를 읽고 싶으면 한 번만 이렇게 상상해보자.

'좋아. 이건 부모인 내 생각이고, 아이라면 무슨 생각을 할까?'

입장 바꾸어 생각해보기는 부모의 안경에 낀 성에를 닦아주고 아이 마음을 들여다볼 수 있는 시력을 회복해준다.

아이 말을
잘 믿지 못한다

아이를 믿지 못하는 부모는 아이의 작은 행동에도 의심하는 말을 해서 상처를 주는 경우가 있다. 연서 엄마도 그랬다. 엄마가 집에 들어왔을 때 연서는 거실 소파에서 스마트폰을 들고 막 일어서는 참이었다.

"너 또 스마트폰 보면서 놀고 있었니? 넌 어떻게 된 애가 시간만 나면 스마트폰이니?"

연서는 자기 말을 듣기도 전에 눈에 보이는 대로 자신을 의심하고 판단하는 엄마를 보니 공손하게 말하고 싶은 마음이 싹 사라졌다.

"내가 언제 스마트폰을 보고 있었다고 그래? 잘 알지도 못하면서."

"지금 그렇게 스마트폰을 들고 있으면서도 공부하고 있었다고 할 거야?"

"아니거든. 마음대로 생각해."

사실 연서는 스마트폰을 거실에 두고 자기 방에서 공부를 하고 있었다. 그런데 계속 전화벨이 울려서 잠시 나온 것이었다. 그런데 공교롭게도 그때 엄마가 들어왔다.

엄마의 핀잔을 듣고 나니 공부하고 있었다는 말은 하고 싶지가 않았다. 무조건 의심부터 하는 엄마에게 상처를 받았기 때문이다. 만약 하고 싶은 말을 삼키고 아이에게 이렇게 물어보았다면 어땠을까.

"무슨 전화 왔었니?"

"네, 방에 있는데 계속 울려서 혹시 엄마인가 하고."

아이를 의심하는 상황을 전제로 말을 하기 전에 먼저 말할 기회를 주면 아이는 자연스럽게 상황을 설명한다. 믿느냐 못 믿느냐 하는 감정 섞인 대화가 오갈 필요가 없게 된다.

의심의 말을 기대의 말로 바꾸자

아이를 믿지 못하면 아이가 어떤 실수를 했을 때 그것을 당연하게 여겨 아이의 자존심을 깎아내리는 말을 하게 된다.

"네가 하는 일이 늘 그렇지."

"너 그럴 줄 알았어."

반대로 아이를 믿는 부모는 같은 상황에서도 아이를 인정해주는 말을 한다.

"괜찮아, 실수할 수도 있지."

"걱정하지 마. 다음에 같은 실수를 반복하지 않으면 돼."

부모는 언제나 아이의 미래가 불안하다. 특히 성적이 낮거나 일탈된 행동을 보이면 마음속 불안은 막연한 감정이 아니라 근거 있는 확신이 된다. 그래서 아이에게 불신의 가시가 박힌 말을 하게 된다. 하지만 그런 말을 들을수록 아이는 서운함을 느껴 부모의 사정거리 밖으로 벗어나고 싶어진다.

아이를 믿거나 안 믿는 마음은 눈에 보이지 않지만, 아이의 행동이나 말에 반응하는 말들을 통해 형체를 드러낸다. 그러면서 의심하는 말, 비꼬는 말, 부정적인 말을 하게 된다. 아이는 점점 부모와 대화하는 상황 자체를 피하게 된다.

화가 나면 상처 주는
말을 쏟아낸다

초등학교 6학년 진호는 자주 학교에 지각한다. 엄마는 아침마다 전쟁을 치르듯 아이를 등교시키고 나면 그야말로 파김치가 된다. 하지만 그것도 잠시, 카톡이 또 엄마를 찾는다.

'엄마, 책상 위에 둔 준비물 좀 갖다 줘. 빨리 오느라 깜박했어. 점심시간까지 꼭.'

그렇게 힘들게 등교를 마쳐도 아이는 번번이 엄마를 다시 학교로 불렀다. 처음에는 걱정스런 마음에 부랴부랴 학교로 달려갔다. 하지만 진호의 건망증은 갈수록 심해져 하루가 멀다 하고 엄마에게 부탁을 했다. 조금만 신경 쓰면 충분히 챙길 수 있는 것들인데 '없으면 엄마한테 부탁하면 되지' 하며 신경을 끄고 있는 듯했다.

엄마는 준비물을 갖다 주고 오면서 이제는 그만해야 할 때가 되었다고 생각했다. 이렇게 무책임한 아이로 더이상 키울 수는 없다. 주말에 시간을 내서 이 문제에 대해 이야기를 해야겠다고 생각했다.

"네가 아침에 15분만 일찍 일어나도 엄마랑 인상 쓰는 일은 없을 거야. 엄마도 이제는 지쳤어. 내일부터는 네가 스스로 일어나서 등교해. 준비물 갖다 주는 일도 안 할 거야. 밤에 미리 싸고 준비해."

"진짜? 나 혼자 어떻게 일어나. 엄마, 왜 그래?"

"이제는 스스로 알아서 해. 당황스럽겠지만 어쩔 수 없어."

"뭐야, 갑자기."

"엄마가 도와줄 수 있는 일은 하겠지만 아침에 일어나고 준비물을 챙기는 건 네 일이야. 네가 할 수 있으리라 믿어."

결국 진호는 엄마의 결정에 따라 내일 아침부터는 스스로 하겠노라고 했다. 요일별로 챙겨야 할 리스트도 만들어 책상 위에 붙였다.

'저렇게 다짐하고 약속했으니 이젠 알아서 하겠지. 잘하겠다고 했으니까 믿어도 될 거야.'

엄마는 왜 진작 이러지 못했을까 생각했다.

그렇다면 진호는 다음 날 어땠을까? 스스로 일어나 준비물을 챙겨 들고 '다녀오겠습니다!' 하며 집을 나섰을까?

이것은 엄마의 희망사항일 뿐이었다. 진호는 아침에 알람이 분 단위로 울려도 일어나지 못했고, 허겁지겁 학교로 달려갔을 때는 이미 수업이 시작된 후였다.

한두 번도 아니고 여러 번 신신당부해서 말한 것이 잘 지켜지지 않을 때, 부모는 아이가 자신을 무시했다는 생각이 든다. 그래서 억누른 감정만큼 크게 화가 폭발한다. 아이가 말대꾸를 하며 반항하면 아픈 곳을 찔러서 말하기도 하고, 알면서도 상처 주는 말을 쏟아내기도 한다.

"그렇게 잘하겠다고 다짐해놓고 어떻게 한 번을 못 지키니? 어제 엄마한테 약속한 건 다 거짓말이었어?"

엄마가 잔뜩 화가 난 얼굴로 따져 묻자 진호는 좀 억울한 생각이 들었다. 잘못한 건 맞는데 어젯밤에 한 말까지 거짓말이냐고 물으니 갑자기 울컥해서 반항하고 싶은 마음마저 들었다.

"그럼, 엄마는 나를 믿지도 않으면서 나를 믿는다고 한 거야? 난 어쩔 수 없는 애라고 생각하면서 말로만 나를 믿는다고 한 거냐고. 엄마도 거짓말한 거네. 그럼 난 엄마가 생각하는 대로 살면 되겠네."

"뭐라고?"

"아, 몰라. 맘대로 생각해."

"너 정말? 진짜 구제불능이야!"

부모들은 아이와 어떤 문제에 대해 진지하게 이야기를 나누고 나면 아이가 다 알아들었으리라 생각한다. 그래서 내일부턴 확 달라진 모습을 보여주리라 기대한다. 그러나 다음 날도 똑같이 행동하는 아이를 보면 실망하고 아이에게 거짓말을 했다며 분노한다.

짐작하건대, 진호가 엄마에게 약속한 그 순간의 마음은 진심이었을 것이다. 다만, 훈련되지 않은 습관 때문에 몸이 움직이지 않은 것뿐이다. 그렇기 때문에 그 다짐까지 거짓말이었냐고 물으면 아이는 불쑥 대들고 싶은 마음이 생긴다. 차츰 대화가 꼬이기 시작한다.

여유를 갖고 기다려주는 게 좋다

아이가 잘못된 습관이나 행동을 고치겠다고 약속하면 부모는 적어도 3주 정도 아이가 번번이 실패해도 다시 시작할 수 있도록 여유를 갖고 기다려주는 게 좋다. 실망해서 '구제불능'이라는 말로 화풀이를 한다고 한들 나아지는 건 아무것도 없다. 그 순간, 부모 속은 시원하겠지만 아이 마음은 엉뚱한 방향으로 엇나가게 될 것이다.

물론 잘하겠다고 약속하고도 변화를 보이지 않는 아이에게 실망하지 않고 계속 기다려주기란 쉬운 일이 아니다. 하지만 부모는 날마다 같은 이야기를 반복하는 상황에 지치지 않아야 한다. 아이의 변화를 의심하는 대신 믿고 기대하는 마음으로 같이 가야 한다. 설령 성공하지 못하더라도 결과를 향해 움직이려는 아이 마음은 인정해줘야 한다.

화나게 했다는 이유로 부모가 기다렸다는 듯이 "그럼 그렇지. 기대한 내가 잘못이지" 하며 비꼬고 상처 주면, 아이는 마음의 문을 닫고 대화를 거부하게 된다. 이런 말을 자주 듣는 아이는 자기자신에 대한 신뢰와 자신감도 형성하기 어렵다. 부모는 순간의 짜증이나 한탄 섞인 마음에서 하는 말이지만 사춘기 아이는 '난 가능성이 없는 사람이고 부모가 날 포기했다'고 이해한다.

"잘하겠다고 마음먹어도 잘 안 되지? 나쁜 습관을 좋은 습관으로 바꾸는 건 그만큼 어려운 일이기도 해. 하지만 습관이 되면 좋은 변화가 생길 거야. 자, 내일부터 다시 시작해보자."

화내지 않고 이렇게 말하면서 한 번 더 독려를 해보는 건 어떨까.

사춘기 아이들은 부모나 자기가 좋아하는 사람의 말에 쉽게 감동을 받는다. '나도 잘해야지', '나도 저런 사람이 될 거야' 다짐하고 결심한다. 하지만 그 결심이 행동으로 연결되기까지는 먼 길을 가야 한다. 이때 그 길을 함께 걸어주는 사람이 부모다. 아이는 믿고 기다려주는 부모의 말을 통해 서서히 변화한다.

대화의 끝은
결국 '성적'

사람은 본능적으로 자신이 관심 있는 대상이나 주제에 대해서 이야기하고 싶어한다. 사랑에 푹 빠진 사람들을 보라. 처음부터 끝까지 사랑하는 사람에 대한 이야기뿐이다. 이미 몇 번이나 한 이야기인데도 신기하게 매번 처음처럼 반복한다.

그러면 부모는 어떤가? 아이가 학교에 다니기 시작하면 마침내 학부모가 된 자신이 자랑스럽지만 그 뿌듯함은 곧 아이 성적에 대한 관심과 걱정으로 바뀐다. 그래서 아이와 학교생활에 관한 이야기를 나누다가도 결국 공부 얘기로 끝내게 된다.

학교에서 온 아이가 신이 나서 새로 전학 온 아이에 대해 말한다.

"엄마, 그 남자애 진짜 특이해. 취미가 십자수래. 가방에 십자수 재료를 가지고 다니고, 쉬는 시간에도 십자수를 놓고 있어. 완전 이상하지?

혹시 변태 아닐까?”

"그러게. 그 애는 십자수를 왜 한다니? 십자수로 갈 수 있는 대학이 있나?”

이렇게 말을 받았다면 아이는 전학 온 남자애 이야기를 꺼낸 것이 후회될 것이다. 성적 이야기로 넘어가기 전 빨리 대화를 끝내야겠다고 생각할지도 모른다. 새로운 이야깃거리나 궁금한 일이 생기면 이제 말하기를 꺼리게 될지도 모른다.

만약 아이의 말에 이렇게 대답했다면 어땠을까.

"그래? 남다른 취미를 가졌구나. 남자애가 십자수를 한다니 정말 의외네. 좀 특별한 아이 같은데?”

"그렇지? 좀 웃겨.”

"다른 애들 반응은 어땠어?”

"그냥 무시한 애도 있고 웃긴다고 대놓고 뭐라고 한 애도 있어.”

"넌 어떻게 생각해? 남자애가 십자수를 좋아하는 게 정말 이상한 일이라고 생각해?”

"생각 안 해봐서 잘 모르겠어. 뭔가 특이한 것 같긴 해.”

"그래, 사람은 다 다르니깐.”

이렇게 대화를 이끌면 부모의 생각을 통해 아이는 낯선 친구라도 폭넓게 이해하고 받아들이게 된다.

되묻기만 잘해도 대화가 이어진다

사실 대한민국 부모라면 누구나 자녀의 성적에서 자유로울 수 없다. 하지만 그렇다고 해도 성적이나 공부 얘기를 주된 화제로 삼으면 아이는 부담을 느끼고 부모에게 어떤 얘기도 할 수 없게 된다. 학교에서 있었던 일을 조잘조잘 이야기하는 아이에게 "이제 쓸데없는 말 그만하고 들어가서 공부해" 한다면 나중에 어떤 문제가 생겨 부모에게 말하고 싶어도 이해받지 못할 거라 생각해 아이는 입을 다물게 된다. 결국 대화 단절을 부른다.

그런가 하면, 이렇게 말하는 부모도 있다.

"다 큰 애랑 무슨 할 말이 있겠어요. 사실 성적 얘기 아니면 할 말도 별로 없어요."

이렇게 생각하는 부모에게는 한 가지 팁을 알려주고 싶다. 일단 아이 말을 잘 들어주기만 해도 대화가 된다는 사실이다. 그다음, 아이가 하는 말을 질문으로 만들어서 되묻기만 해도 말이 자연스럽게 이어진다.

"엄마, 오늘 수업시간에 창밖을 보는데 갑자기 땡땡이치고 놀고 싶더라고."

"그래? 왜 갑자기 땡땡이치고 놀고 싶었을까?"

"날씨가 너무 좋아서."

"맞아. 오늘 낮에는 햇살이 참 좋더라. 그래서 그런 기분이 들었구나."

되묻기는 부모의 판단은 개입시키지 않고 아이의 말만 요약해 되물으면서 감정을 확인하는 대화 방법이다. 아이가 자신의 상태를 객관적으로 바라볼 수 있게 할 뿐 아니라 '부모가 내 이야기를 주의 깊게 듣고 있다'고 느끼게 한다. 우리 부모와는 어떤 이야기를 해도 대화가 잘 통한다고 생각하게 된다.

부모의 신뢰를
가장한 게으름

사춘기 아이를 둔 부모들을 상담하면서 느낀 안타까운 점 중 하나는 어떤 문제가 발생해야만 그제야 아이를 제대로 살핀다는 것이다.

"우리 애가 친구를 때렸다고요? 그것도 식판으로요? 그럴 리가요. 우리 애는 맞으면 맞았지 누굴 때리는 애가 아니에요. 혹시 맞은 걸 때린 걸로 잘못 아신 거 아니에요?"

동욱이 엄마는 담임선생님의 전화를 받고 뭔가가 잘못되었다고 생각했다. 동욱이는 순한 아이다. 키만 컸지 속은 여리고 착하다. 지금까지 한 번도 말썽 피운 적 없고 동생들도 잘 보살핀다. 그런데 친구를 때렸다고?

엄마는 급히 학교를 찾았고, 결국 선생님과 상대 아이 부모를 만나 사과해야 했다. 병원 검사 후 상대 아이의 몸에 이상이 있으면 치료비도 지불하기로 했다.

사고를 수습하고 집으로 온 엄마는 동욱이와 마주 앉았다. 도대체 무슨 일인지, 어떻게 된 일인지 어안이 벙벙할 뿐이었다.

"애들하고 점심 먹는데 걔가 계속 똑같은 말을 하면서 짜증나게 하잖아. 그래서 순간적으로 확 열받았어. 그것뿐이야."

"걔가 무슨 말을 했기에 식판을 엎을 만큼 그렇게 화가 났어?"

"나를 따라다니면서 '말해봐, 말해봐, 빨리 말해봐, 뭐 어쩔 건데? 말해보라니까!' 계속 그러잖아."

"뭘 말해보라는 건데?"

"그런 거 있어. 엄마는 몰라도 돼."

"일이 이렇게 커져서 학교까지 불려갔는데 '엄마는 몰라도 돼'라니, 그게 말이 되니?"

"많이 때린 것도 아니고, 머리에 혹 좀 난 거 가지고 뭘."

"어쨌든 친구를 때리면 안 되는 거잖아. 다치면 어쩌려고 그래?"

"몰라. 짜증나."

"너 혹시 전에도 친구 때리고 그랬니? 뭘 알아야 엄마가 돕든 말든 할 거 아니야."

"그런 거 없어. 나 좀 내버려두라고!"

동욱이는 자리에서 일어나 문을 쾅 닫고 방으로 들어가버렸다. 엄마는 갑자기 못 보던 성질을 부리는 아이가 당황스럽기도 하고 혼란스럽기도 하다. 결국 왜 그런 일이 일어났는지 알지 못한 채 대화가 끝났다.

엄마는 동욱이를 사고 한 번 안 친 순한 아이, 문제없는 아이라고 생각했다. 엄마가 아이를 잘못 알고 있었던 걸까? 아마 그렇지는 않을 것이다. 어려서는 분명 눈에 넣어도 안 아플 착한 아이였겠지만 자라면서 커진 아이 마음속 태풍은 몰랐던 것뿐이다. 사춘기 아이들의 마음속 태풍은 겉모습만 봐서는 알기 힘들다.

동욱이 부모는 상처가 될까 봐 아이 앞에서는 그 일을 꺼내지 않기로 했다. 하지만 속내는 여전히 불안하다.

'내가 뭘 잘못하고 있었을까? 뭘 못 보고 있어서 이런 일이 생겼지?'

갑자기 벼랑 끝에 선 듯 초조하고 걱정이 된다.

매일의 대화는 예방주사 같은 것

사춘기 부모들이 빠지기 쉬운 함정 중 하나는 자기 아이에게는 문제가 없다고 믿는 것이다. "나는 우리 애를 믿어요. 우리 애는 그럴 애가 아니에요." 하지만 이 말은 곧 '나는 우리 애가 그런 일을 할 수도 있다는 걸 알아챌 만큼 구체적인 관심은 없어요'라는 뜻도 된다.

"다 큰 애를 어떻게 말로 다스려요. 그 나이대에 그 정도 반항 안 하고 자라는 애가 있나요? 저도 그만 한 때에는 더했으면 더했지 덜하지는 않았어요. 그래도 지금 이렇게 멀쩡히 사회생활하고 있잖아요."

이렇게 말하는 부모는 지금의 아이들이 놓인 상황이 과거와 얼마나 다른지 잘 알지 못해서다. 나는 이것을 '부모의 신뢰를 가장한 게으름'이라고 표현하고 싶다. 아이의 현실을 알려고 하지 않는 부모의 게으름이다.

문제가 터진 후에 '우리 애한테 왜 이런 일이 생겼을까' 하고 의문을 갖는 것은 일상적인 대화가 부족했다는 뜻이다. 그런 상황에서 부모가 갑자기 '얘기 좀 하자'고 아이를 앉히면 아이가 기다렸다는 듯 술술 자기 얘기를 하게 될까? '이제 와서 웬 관심이야?' 하며 대화를 피하려고 들 것이다.

"오늘은 어땠어? 힘든 일 없었어?"

"네가 말한 그 친구랑은 잘 지내니?"

"특별히 지루한 수업은 뭐야? 수업 방식 때문이니, 아니면 어렵고 재미가 없어서 그러니?"

"다른 반이면 좋겠다고 생각한 아이가 있니?"

"학교 급식은 맛있었어?"

자기 방으로 들어가기 바쁜 사춘기 아이일지라도 틈틈이 이런 일상적인 대화를 나눈다면 어떤 문제가 생겼을 때, 적어도 문제의 본질을 벗어난 일로 서로 감정이 상하거나 상황이 악화되는 것은 막을 수 있다.

물론 대화를 해도 문제는 언제든 터질 수 있다. 대화가 모든 문제를 막는 방패는 아니다. 그러나 아이가 자신에게 있었던 일을 감추지 않고 말할 수 있다면 그 말을 통해 부모는 아이가 보내는 사인을 늦지 않게 읽을 수 있다. 또 '사춘기 아이와는 대화 자체가 안 된다'면서 사춘기 아이를 마치 다른 행성에서 온 외계인처럼 생각하는 우를 범하지도 않을 것이다.

PART 3

말하는 방식만
바꿔도
아이의 태도가
변한다

마음만으로는 생각만큼 자연스럽게 말이
나오지 않는다. 언어는 습관이기 때문이
다. 그래서 부모에게도 의식적인 훈련과
연습이 필요하다. 까칠하게 구는 사춘기
아이와 대화하는 일이 어렵게 느껴진다면
말하는 방식을 살짝 바꿔보자.

때에 맞는 말로
아이의 마음을 배려한다

아이가 대화를 받아들일 준비가 되어 있지 않으면 아무리 화려한 말이나 유능한 대화의 기술을 사용해 말을 걸어도 소용이 없다. 뚜껑 닫은 장독대에 쏟아지는 빗물처럼 단 한 방울도 스며들지 않는다. 말하는 사람 기운 빠지고, 듣는 사람 기분 상하는 대화가 될 뿐이다.

따라서 아이를 지켜보면서 아이가 조용히 혼자 두기를 원하는지, 아니면 위로의 말을 듣고 싶어하는지 판단해서 말을 걸어야 한다. 아이를 배려하지 않으면 깊은 고민 끝에 하는 말도 늘 듣는 다른 말과 같은 급으로 생각될 수 있다. 예를 들어 '꿈을 크게 가져봐' 하는 거창한 말도 '이 닦고 자야지' 하는 잔소리로 들을 수 있다.

사춘기가 되면 아이는 자신의 기분과 감정에 맞춰 행동한다. 그래서 좋은 상태에서는 아무렇지도 않던 말이 기분 나쁜 상태에서는 자신을 공격하는 말처럼 들려 전혀 다른 반응을 보일 수 있다. 부모가 때에 맞는 말을 해야 하는 이유다.

'때에 맞는' 말이란 시간적인 의미로 제한되지 않는다. 상황과 일의 전개, 대화를 주고받는 사람과의 관계 등 모든 것이 함축되어 있다. 똑같은 사람이 똑같은 말을 해도 듣는 사람의 상황에 맞지 않으면 받아들여지지 않고 튕겨 나가거나 상처가 된다. 결국 때에 맞는 말이란 상대를 배려하는 마음에서 나온다.

아이와 대화할 때도 마찬가지다. 아무리 부모라고 해도, 하고 싶은 말이 많아도 불안정한 사춘기 아이의 기분이나 상황을 배려하는 마음이 있어야 좋은 대화가 가능해진다.

● 아침 시간에 피해야 할 주제

지난밤의 잘못을 꾸중하는 말이나 오늘 저녁에 돌아와서 보자는 말 등 하루 종일 마음에 남을 서운한 말이나 슬픈 이야기, 우울한 이야기는 피한다.

● 잠자리에 들기 전 피해야 할 주제

오늘 있었던 나쁜 일이나 싫은 일, 너무 무섭거나 폭력적인 이야기는 되도록 하지 않는다. 악몽을 꿀 수 있다.

● 밥상에서 피해야 할 주제

외모에 한창 예민할 때인 만큼 다이어트나 몸무게와 관련된 이야기는 하지 않는다. 좋은 일이든 나쁜 일이든 큰소리가 나거나 놀랄 만한 이야기도 삼가는 게 좋다.

● 목요일 저녁

이번 주 안에 끝내지 못한 일이 있다면 마무리할 수 있는 시간이 남아 있다는 희망을 준다. "아직 사흘이 남았으니까 조바심내지 말고 하나하나 해보자. 주말에 특별히 하고 싶은 일이 있다면 생각해보고"라고 말해준다.

● 일요일 저녁

주말 내내 놀기만 했어도 편안하게 잠을 자고 새로운 한 주를 준비해야 하는 시간이다. "편안한 마음으로 자고 내일부터는 새롭게 한 주를 시작하자. 지난주에 못한 공부는 이번 주에 보충하면 돼." 긍정적인 말로 기대감을 갖게 한다.

● 시험에 임박했을 때

일단 '시험'이라는 이름이 붙으면 아이들은 긴장하고 신경이 곤두서게 된다. 시험이 임박한 아이에게는 시험 성적을 강조하거나 걱정하는 말은 되도록 하지 않는 게 좋다. "이번 시험이 진짜 중요한 거 알지?", "그렇게 열심히 했는데도 성적이 안 나오면 어쩌니?", "어떻게 시험 볼지 걱정이다" 등은 시험을 앞둔 아이에게 도움은 안 되고 부담만 주는 말들이다.

● 시험 결과가 나왔을 때

부모 마음에 차지 않는다면 아이도 만족하지 못하는 결과일 것이다. 그렇기 때문에 부모만 마음이 상하고 아이는 태평해 보이는 것처럼 말하지 않는다. 누가 뭐라고 해도 시험 결과에 가장 민감한 사람은 부모가 아니라 시험을 본 당사자다. 따라서 결과가 좋지 못할 때는 "점수가 좀 만족스럽지 못해도 끝난 시험은 일단 잊어버려. 바꿀 수 없는 것에는 미련을 두지 말자. 다음에 더 잘하면 되니까"라고 말해준다.

● 학기가 시작될 때

지난해의 일은 잊어버리고 다시 새롭게 시작해보자는 희망을 주어야 한다. "어제까지의 네가 마음에 들지 않아도 변하려고 마음먹으면 오늘부터 새롭게 바뀔 수 있어. 그러니 오늘부터 잘하겠다고 생각해봐. '오늘부터 난 새로운 사람이다, 완전히 다른 사람이다' 하는 마음으로 시작해보는 거야." 아이는 부모의 격려에 기대감을 갖고 노력할 수 있다.

● 공부에 대해서 말하고 싶다면

학교에서 몇 시간씩 공부하고 집에 돌아오면 아이는 공부 아닌 다른 주제로 부모와 이야기하고 싶다. 마치 하루 종일 음식을 만들면 음식 냄새도 맡고 싶지 않은 것과 같다. 만약 아이와 공부에 대해서 꼭 이야기를 하고 싶다면 시험 시간표가 발표된 날이나 시험 결과가 나온 다음 날이 적당하다. 그날은 '공부에 관한 이야기'를 하는 날로 아이와 미리 정해두는 것이다. 아이에게도 마음의 준비를 시키고, 부모는 필요하고 도움이 되는 정보를 알아본 후 함께 이야기를 해본다.

대화 내용은 현재의 성적이나 점수가 나쁜 과목을 지적하기보다는 어떻게 하면 그 과목을 쉽고 재미있게 공부할 수 있을지, 혹은 앞으로 향상시킬 수 있을지에 초점을 맞춘다. 공부는 쉽고 재미있는 일이라는 생각을 심어주는 것이 중요하다. 공부와 시험에 대한 두려움만 없애주어도 평소 실력의 30퍼센트 이상을 향상시킬 수 있다.

말투만 바꿔도
아이가 달라진다

"왜요?", "그래서요?", "됐거든요!" 등은 말 자체로만 보면 딱히 나쁜 뜻은 없지만 말투에서 전해지는 뉘앙스가 듣는 사람을 기분 나쁘게 만든다. 대화를 할 때 적지 않은 영향을 주는 것이 바로 이 '말투'다.

내용 못지않게 어떤 말투로 말하느냐가 대화의 수준을 결정한다. 예를 들어 '하든가 말든가' 식의 표현이나 '그래서 뭐 어쨌다고' 하는 따지는 말투로는 서로의 마음을 얻을 수 없다. 끝을 올리는 말투 역시 짜증이나 신경질적인 반응을 유도하기 쉽다.

집에 돌아온 아이가 빈둥거리며 스마트폰만 들여다보고 있을 때 부모는 대체로 이렇게 말한다.

"계속 스마트폰만 하고 있을 거야?"

"할 거 다 하고 그렇게 있는 거야?"

"공부는 안 할 거야?"

따지고 질책하는 말투다. 이런 말투에는 아이가 고개도 들지 않고 건성으로 대답하기 쉽다.

"스마트폰 꺼. 당장 들어가서 공부해."

단호하고 명령적인 말투다. 사춘기가 되면 이런 명령어에 바로 움직이지 않는다. 한 번 더 단호하고 강한 명령이 내려질 것을 알고 있기 때문이다.

"엄마 말 안 들려?"

더 단호하고 강한 말이 나오면 그제야 슬쩍 움직인다.

"네가 알아서 스마트폰 끄고 할 일을 하면 얼마나 좋을까…."

걱정하는 말투지만 이런 말은 자칫 아이를 우울하게 만들 수 있다. 마음이 약한 아이는 엄마 말을 따르면서도 기분이 나빠진다. 아이에 따라서는 "엄마는 내가 뭐 좀 하려고 하면 꼭 못하게 해" 하면서 불만을 표출할 수도 있다.

"내가 너 그럴 줄 알았어. 알아서 스마트폰 끄고 공부한다고?"

부정적이고 비꼬는 듯한 말투다. 아이는 어차피 한소리 들은 거 끝까지 버티자는 마음이 된다.

"스마트폰은 그만하는 게 어때? 이제는 네가 해야 할 일을 할 시간이야."

정중한 제안과 관대함을 느낄 수 있다. 꾸중이나 비판 없이 지금 해야 할 일이 있다는 것을 알려주었는데 아이는 슬그머니 일어나 해야 할 일을 시작한다.

"스마트폰 그만하고 이제 할 거 하자."

부탁하고 청유하는 말투다. 간단하게 해야 할 행동만 말했기 때문에 아이들도 별다른 불만 없이 움직인다. 물론 '엄마, 잠깐 이것만 하고!'라 며 몇 분 더 버틸 수 있다. 그럴 때는 두세 번 똑같은 말투와 억양으로 같 은 내용을 반복해 말한다. 단순한 말을 기계적으로 반복함으로써 부모의 단호한 의지를 보여줄 수 있다. 이렇게 단순한 말을 반복하면 아이가 움 직이기 시작힌다.

그렇다고 아이에게 늘 부탁하는 말만 할 수는 없다. 때로는 간단한 명 령형 어미를 써서 '그건 안 돼. 이렇게 해'라고 단호하게 말할 줄도 알아 야 한다. 그러나 그때도 톤과 말투는 부드러워야 한다.

내용보다 중요한 말투와 표정

사람들이 대화할 때 가장 신경 쓰는 부분은 '무슨 말을 할 것인가' 하 는 말의 내용일 것이다. 그런데 연구결과에 따르면 듣는 사람은 말의 내 용에는 7퍼센트만 영향을 받고 귀로 듣는 정보, 즉 말투나 억양, 소리의 높낮이, 음색 등에서 38퍼센트를 취하며, 나머지 55퍼센트는 눈에 들어 오는 시각적인 것들에서 정보를 취한다고 한다. 다시 말하면, 무슨 말을 했는가보다는 어떤 자세와 태도로 말했는지, 얼굴 표정과 말투는 어떠했는지 등을 통해 내용을 유추하고 그 대화를 기억한다는 것이다('메라비언의 법칙'). 지극히 이성적이고 지성을 갖춘 사람들이 말도 안 되는 사기꾼한테 넘어가는 것을 보면 이해가 쉽다. 7퍼센트(말의 내용, 본질)는 말이 안 되지만 나머지 93퍼센트가 완벽하게 꾸며졌기 때문에 설득당한 것이다.

나는 부모가 사춘기 아이와 대화할 때 줄기차게 실패하는 이유 중 하나가 이것이라고 생각한다. 옳은 말, 아이에게 꼭 필요한 말, 아이가 반드시 기억해야 하는 말(7퍼센트)을 완벽하게 전하느라 나머지 93퍼센트에 대해서는 무신경했던 것이다. 어떤 표정으로, 어떤 톤으로 말할 것인가에는 무심했던 탓이다. 그래서 약이 되는 말을 했는데도 아이는 그 말을 독처럼 뱉어낸 건 아닐까 생각한다.

아이는 말을 듣기 전에 그 말을 하기 위해 부모가 자신의 이름을 부르는 목소리와 말투, 톤에서 느껴지는 정보로 38퍼센트를 감지하고, 부모의 몸짓이나 얼굴 표정에서 55퍼센트의 정보를 인지한다. 그리고 마침내 부모가 중요하게 생각하는 7퍼센트의 내용을 듣는다. 옳은 말을 했는데도 아이가 잘 듣지 않는 것 같다면 이제는 다른 요소에도 주의를 기울여 보자. 말투 하나만 부드럽게 바꿔도 결과가 달라질 수 있다.

아이 말을 듣는 동안 부모가 아이에게 보내는 보디랭귀지도 중요하다. 팔짱을 끼고 있거나, 딴 곳을 보고 있거나, 눈을 감고 있거나, 인상을 쓰고 있다면 '난 네가 하는 말이 듣기 싫다'는 표현을 온몸으로 말하고 있는 것이다. 아이는 말을 하면서도 자기 말이 거부당한 채 튕겨 나오고 있다고 느끼게 된다.

명령보다는 질문이
효과적이다

　퇴근 후 수호의 방문을 연 엄마는 깜짝 놀랐다. 외투와 가방은 뱀이 허물 벗듯 방바닥에 널브러져 있고, 침대 위에는 빵과 과자 봉지가 여기저기 흩어져 있었다. 수호는 어질러진 방에서 게임에 몰두해 있다.

　"세상에, 이게 다 뭐야? 방을 지금 이렇게 해놓고 게임하는 거야?"

　"치울 거예요."

　"내가 옷이랑 가방을 바닥에 벗어 두지 말라고 했지? 그리고 다 먹은 과자 봉지는 왜 쓰레기통에 안 버리니? 쓰레기통 바로 옆에 있잖아."

　"…"

　"도대체 언제까지 이런 잔소리를 해야 하니?"

　"아, 알았다고요."

　"방 좀 치워, 제발!"

큰소리로 화를 내도 시선은 여전히 컴퓨터 화면에 박혀 있는 수호를 보며 엄마는 화가 머리끝까지 치민다. 도대체 뭐라고 말을 해야 아이가 바뀔지 답이 없는 것 같아 속상하고 짜증이 난다. 초등학교 6학년이면 알아서 자기 생활을 할 줄 알았는데 아직도 이런 걸로 화를 내야 하다니. 일하지 않고 집에서 보살피는 엄마였다면 아이가 좀 달라졌을까 하는 자책감마저 든다.

수호처럼 같은 문제를 고질적으로 반복하는 아이에겐 어떻게 말을 해야 좋을까?

일단 부모가 화를 내면 아이는 자기의 잘못이나 해결책을 찾기보다는 이 불편한 상황에서 벗어나고 싶은 마음부터 든다. 그래서 부모가 화를 내는 부분을 정확히 인지하지 못하게 된다. 뿐만 아니라 누구도 자신에게 화를 내면서 말하는 사람의 말은 듣고 싶어하지 않는다. 그 말이 나에게 도움이 된다고 해도 말이다. 따라서 같은 문제와 상황이 고질적으로 반복될 여지가 있다.

질문은 능동적으로 움직이게 한다

대개 아이가 자라면서 부모의 인내심은 줄어드는 경우가 많다. 인내심이 줄어든 자리에는 아이에 대한 기대가 빠르게 채워지게 된다. 그러면서 부모는 서서히 아이의 모든 것을 감독하고 평가하는 위치로 보직변경을 하게 된다. 문제는 아이의 실행능력이 자라는 속도가 부모의 인내심이 줄어드는 속도보다 더 느리다는 데 있다.

사춘기 아이를 움직이고 싶다면 명령보다는 질문으로 바꾸는 것이 더 효과적이다. 고치고 싶은 습관이 있다면 그것 역시 아이에게 무조건 하지 말라고 비난하고 명령하기보다는 질문으로 바꿔 대화하는 것이 아이를 움직이는 데 도움이 된다.

UCLA 의과대학의 임상심리학자 로버트 마우어에 의하면, 우리의 뇌는 단순히 무언가를 해라 혹은 하지 말라는 명령의 말을 던졌을 때보다 질문을 던졌을 때 훨씬 더 활발하게 움직인다고 한다. 질문은 뇌를 깨어 있게 하고 즐겁게 한다. 뇌는 아무리 우스꽝스럽고 이상한 질문이라도 질문을 받으면 궁리하고 답을 찾으려고 한다. 예를 들어 "네 차 옆에 주차된 차의 색깔이 뭔지 말해봐" 하는 명령보다는 "오늘 네 차 옆에 주차된 차 색깔이 뭐였어?" 하는 질문이 아이디어와 해결책을 생산하는 데 훨씬 유용하다는 의미다. 그런데 이것은 수많은 사춘기 아이들을 상담한 나의 경험에 비추어 봐도 그렇다.

'이렇게 해', '그건 안 돼' 하기보다 '어떻게 하면 좋을까?' 하고 질문을 던져서 상황을 해결해보자. 물으면 자연스럽게 아이를 상황에 동참시키게 된다. 아이는 벌어진 상황을 함께 생각하고 답을 찾아가면서 자연스럽게 배우게 된다. 해결책을 자기 스스로 찾는다고 생각하기 때문에 지키려고 하는 의지도 강해진다. 이전의 습관으로 다시 돌아간다고 해도 아이에게 '그때 어떻게 하자고 했었지?' 하고 차분히 묻는 것으로 돌아갈 행동을 알려줄 수 있다.

"어떻게 하면 방을 어지르지 않고 지낼 수 있을까?"

"어떻게 하면 하루에 30분 정도 책 읽는 시간을 낼 수 있을까?"

"어떻게 하면 잘 안 씻는 습관을 바꿀 수 있을까?"

적절하게 반복된 질문은 아이가 그 문제에 집중하고 답을 찾아 움직이고 싶은 계기를 만든다.

다만, 아이들은 해야 하는 줄 알면서도 하기 싫은 일은 어떤 이유를 대서든 빠져나가려 한다. 그때는 아이 말에 말려들지 말고 차분하게 들으면서 논리가 점프하거나 순서가 허술하면 그 차이를 메우는 질문을 던지면서 대화를 이끌도록 한다. '네가 정말로 원하는 게 이런 것이니?' 하면서 결과를 예측해주면, 아이는 그때 자신이 원하는 결과가 무엇인지 생각해보고 질문에 답을 한다. 이런 대화를 통해 저항 없이 생각을 정리하고 행동을 바꾸게 된다.

구체적으로 말해야
받아들이기 쉽다

아이가 초등학교 고학년 이상이 되면 부모는 공부에 부쩍 신경을 쓰게 된다. 그런데 여기서 기억해야 할 사실이 하나 있다. 모든 아이는 공부를 잘하고 싶어한다는 것이다. 할 수만 있다면 1등을 하고 싶다. 욕구가 없어서 1등을 못하는 게 아니다. 공부하는 습관을 제대로 들이지 못했고, 훈련되지 않은 작은 습관들이 공부를 방해하기 때문에 하고 싶어도 잘 못하는 것뿐이다. 이 사실을 안다면 적어도 아이에게 '너는 공부를 잘하고 싶은 마음이 없는 것 같다'거나 '넌 공부가 그렇게 싫으니?'라는 말은 하지 않을 것이다.

공부와 진로에 관한 대화를 할 때는 먼저 학업에 지친 아이를 위로하면서 공부는 쉽고 때로는 재미있으며, 누구나 잘할 수 있다는 방향으로 이야기를 풀어가야 한다. 좋아하든 싫어하든 아이들은 일주일 내내 공부를 하고 있다. 시어머니가 매일 살림하는 며느리에게 '넌 살림이 그렇게 싫으냐?' 혹은 '이렇게밖에 못하니?'라고 한다면, 복잡한 집안일을 한 시간 안에 끝마치는 비법을 알려준다고 해도 며느리는 절대 그 비법을 전수받고 싶지 않을 것이다. 아이도 마찬가지 마음이다. 따라서 학업에 대한 이야기를 할 때는 성적으로만 아이를 평가하지 말고, 매일 공부하는 모습부터 먼저 인정해준다. 그런 다음, 하고자 하는 말을 하면 아이가 훨씬 자연스럽게 받아들이게 된다.

"요즘 공부하느라 힘들지? 공부는 잘되니?"

"하기 싫어요."

"그래, 공부하는 게 늘 좋을 수만은 없겠지."

"어렵고 힘들어요. 재미도 없고, 필요도 없는 것 같고. 해도 다 잊어버리는데."

"너는 언제부터 공부가 힘들게 느껴졌니?"

"중학교 1학년 1학기 중간고사 끝나고부터."

"그래, 그때부터 네가 조금씩 학교생활에 짜증을 내기 시작했어. 하기 싫고 힘들다고만 생각하지 말고, 공부는 너를 보여줄 수 있는 도구이자 미래를 위한 기회라고 생각해보면 어때?"

"공부를 통해 나를 보여주어야 한다면 난 중간밖에 안 되는 애야."

"지금은 그렇지만 나중에 어떻게 될지는 아무도 모르지."

"그럴까요?"

"처음 공부를 할 때는 누구나 힘들고 어려워. 하지만 계속 하다 보면 익숙해지고 쉬워지지. 재미도 생기고. 공부를 쉽게 하는 가장 좋은 방법은 습관을 들이는 거야. 분량 많은 문제집도 하루에 두세 쪽씩 풀다 보면 결국 끝내게 되잖아. 그처럼 매일 조금씩 꾸준히 하는 습관을 들이면 공부가 조금은 수월하고 쉽게 느껴질 거야."

"이번 영어시험은 하루 20개씩 단어 외우기부터 해야겠다. 잘될지 모르겠지만."

"해보지 않고는 모르는 거야. 사람의 미래를 바꾸는 방법에는 여러 가지가 있어. 그중에서도 공부는 모든 사람에게 열려 있는 공평한 기회 중 하나지. 공부를 잘해서 원하는 기회를 얻고, 하고 싶은 일을 할 수 있다면 해볼 만하지 않을까?"

아이들은 공부가 힘들고 어려운 일이라고 생각하기 때문에 그로 인한 혜택이나 좋은 점에 대해서는 잘 생각하지 못한다. 따라서 공부란 부모에게 칭찬받기 위해 하는 게 아니라 나를 위한 일이고, 인생에서 더 좋은 기회를 얻기 위해 하는 것임을 알려준다. 모든 가치 있는 것들은 힘겨운 노력을 통해 얻게 된다는 사실도 알려준다.

공부하라는 뻔한 잔소리보다 더 효과적인 것은 구체적인 말이다. 아이의 마음을 먼저 읽어주고 공부를 해야 하는 이유와 실행 방법을 구체적으로 나누면 학업에 대한 아이의 태도도 조금은 달라질 수 있다.

구체적인 말은 힘이 세다

고쳐야 할 습관이나 행동도 구체적으로 짚어주면 바꾸기 쉽다. 아이가 들으면서 무엇을 어떻게 해야 할지 알 수 있는 것이 구체적인 말이다. 부모 역시 결과를 정확하게 측정할 수 있어야 구체적인 말이다.

"학교에서 돌아오면 가방과 옷은 옷걸이에 걸어 두면 좋겠어."

"식탁에서 일어날 때는 의자를 소리 나게 뒤로 밀지 말고 가볍게 들어서 옮겨줘."

"밖에서 들어오면 일단 편한 옷으로 갈아입은 다음에 하고 싶은 일을 하자."

이렇게 말하면 행동을 어떻게 바꿔야 하는지 알게 되고 부모도 감정이 덜 섞이게 된다. 언제까지 이런 단순한 말을 반복해야 하는가 묻고 싶다면 고쳐야 할 아이의 행동이나 말이 바로 될 때까지다. 그 시간은 생각보다 빨리 온다.

나는 강의를 할 때 아이들에게 "바르게 앉아"라고 말하기보다 "엉덩이는 의자 끝까지 깊숙이 넣고 등은 의자에 닿지 않도록 바르게 세우고 '왕처럼' 앉아봐"라고 주문한다. 그러면 자세를 가다듬는 게 달라진다. 아이들은 자기가 해야 할 일이 무엇인지 구체적으로 알면 알수록 그 일에 맞춰서 하려고 하는 힘이 강해진다.

말없는 아이와
대화하는 방법

부모 상담을 하면 종종 듣게 되는 말이 있다. 아이와 말 좀 하고 싶어도 단답형으로만 짧게 얘기해서 답답하다는 것이다. 도통 자기 얘기를 하지 않는데 무슨 대화를 하겠냐는 하소연이다.

사춘기가 오면 부쩍 말수가 줄어드는 아이가 있다. 여자아이에 비해 남자아이가 특히 더 그렇다. 속으로 무슨 생각을 하며 사는지 도통 알 수가 없어서 속에서 천불이 난다고 표현하는 부모도 있었다.

그런 아이는 굳이 말하도록 강요하지 않는 게 좋다. 대화를 하고자 한다면 차라리 간식 시간이나 적당한 휴식 시간 때 부모가 먼저 자신의 이야기를 자연스럽게 꺼내본다. 오늘은 이런 일이 있어서 좋았다, 이런 일로 속이 상했다 등 사소한 일상도 좋고 개인적인 생각도 좋다.

나는 지금도 내 아이들에게 많은 이야기를 한다.

"엄마는 어릴 때 공개방송에 가서 좋아하는 가수 공연을 보고 싶었는데 못 봐서 아쉬워. 재미있었을 것 같은데."

"엄마도 그럴 때가 있었네요."

"당연하지. 그때는 그런 게 왜 그렇게 하고 싶었는지 몰라. 너는 그런거 없니? 엄마가 못하게 하니까 더 하고 싶은 거?"

"많지만 말하기는 좀 불안한데."

"그래? 하하."

말도 없고 묻는 말에 잘 대답도 하지 않는 아이와 무슨 이야기를 해야할지 모르겠다면 자신의 10대 시절 이야기를 해봐도 좋다. 같은 나이대라는 것만으로도 아이에게 묘한 공감이 생긴다.

이때 조심해야 할 것은 부모의 옛날이야기가 '그때는 풍요롭지도 않고 힘들었지만 좋았다. 고생을 모르는 너희는 행복한 줄 알아라' 하는 식으로 흘러가지 않게 조절하는 것이다. 그런 경험이 지금의 삶에 알게 모르게 영향을 주었다는 정도로만 암시하면 된다. 그러면 아이들은 상상하지도 못한 부모의 어린 시절 경험을 통해 부모의 다른 면을 이해할 수 있게 된다.

부모가 자신에 대한 얘기로 대화의 물꼬를 트는 것만큼 효과적인 또다른 소재는 아이의 어린 시절 이야기다. 이것은 다른 누구에게도 들을수 없는 말일뿐더러 아이가 자신의 정체성을 확립하는 데 매우 유용한 재료가 된다.

"엄마는 네가 크면 틀림없이 시인이나 예술가가 될 거라고 생각했어."

"왜요?"

"네가 다섯 살이 될 때까지 했던 말들은 한마디 한마디가 모두 시였거든."

"내가 뭐라고 그랬는데?"

"세 살쯤이었나? 밤에 널 재우려고 하는데 유리창에 나무 그림자가 어른거리는 거야. 그랬더니 네가 아빠한테 물었어. '아빠, 왜 나무는 잠을 안 자?'라고."

"바보 같아."

"하하. 표현이 얼마나 예쁘니? 그때 아빠가 네가 자면 나무도 금방 잘 거야 했더니 네가 뭐랬는지 알아?"

"…."

"생각해봐. 뭐라고 했을지."

"생각 안 나. 내가 어떻게 알아."

아이가 남극을 지나온 냉기와 짜증을 담아 대답을 하더라도 엄마는 무드를 바꾸지 않고 말을 이어간다.

"흔들리는 나무를 보며 네가 물었어. '아빠, 그럼 바람은 몇 살이야?'라고. 당시에 사람들이 너한테 자주 몇 살이냐고 물었거든. 그래서 넌 모든 것에 나이가 있다고 생각한 거야."

"유치해."

"엄마는 특별하게 느껴지는데? 넌 어려서부터 언어가 참 특별했어. 네 안에 그런 아름다운 성품이 있는 걸 아니까, 그래서 엄마는 늘 너를 응

원하고 기대해.”

아이의 어린 시절 이야기를 들려줄 때 기억해야 할 포인트는 ‘아름답고 즐겁고 생각하면 마음이 따뜻해지는 기억’이어야 한다는 점이다. 그래야 아이가 들으면서 편안한 마음을 갖게 된다. 또한 얼마나 특별한 사랑을 받았는지, 내 안에 아직 꽃 피지 않은 가능성이 얼마나 많은지 알게 된다.

피해야 할 대화 소재도 있다

아이가 자신의 어린 시절 이야기를 듣기 싫어한다면 그건 부모가 기억에도 없는 부끄러운 일을 꺼내 두고두고 이야기해서일 수 있다. 그처럼 아이가 부끄러움을 느끼거나 싫어하는 기억은 반복해서 말하지 않도록 한다.

“너는 초등학교 3학년 때까지 오줌을 쌌잖아.”

“비둘기만 보면 무섭다고 엉엉 울었어.”

“유치원 다닐 때도 숫자 셀 줄을 몰랐어.”

10초 안에 사춘기 아이와 원수가 되고 싶다면 이런 식으로 어린 시절 이야기를 반복해주면 된다. 이런 말은 한두 번 정도 우스갯소리로 할 순 있겠지만 놀리듯 계속 말하면 아이는 그걸 기억하는 부모가 불편해질 것이다. 지금 수학을 못한다면 ‘난 원래 못했어’라며 당연한 결과로 생각할 수 있고, 수학을 잘한다면 뭔가 이상하다고 생각할지도 모른다. 어린 시절 이야기를 할 때는 소재 선택에 신경 쓸 필요가 있다.

어린 시절 에피소드를 대화 소재로 삼으면 얻게 되는 또 하나의 이점이 있다. 부모 역시 아이의 예뻤던 어린 시절을 떠올리면서 부글거리던 마음을 가라앉힐 수 있다는 것이다. 일종의 정신적인 아로마테라피인 셈이다.

대화의 핵심에서
벗어나지 않는다

사춘기 아이와 말씨름을 하다 보면 원래 하려던 말은 사라지고 나중에는 무슨 말을 하려고 했는지조차도 모르게 모든 게 꼬여버리는 경우가 있다. 평화롭던 집안에 갑자기 생각지도 못한 폭풍우가 몰아치는 아찔한 상황이 벌어지는 것이다.

지인의 집에 놀러갔다가 우연히 목격한 상황이 딱 그런 경우였다.

"강아지가 오줌을 싸면 바로 치우겠다고 약속하지 않았어? 온 집안에 냄새가 진동을 하게 두면 어떻게 하니? 자꾸 그러면 강아지 다른 데 보낼 거야."

아이가 우겨서 키우기 시작한 강아지가 또 사고를 친 모양이었다. 청결하지 못한 집 상태를 내게 보여준 것이 당황스러웠던 엄마는 얼굴이 붉어졌고, 아이는 엄마의 잔소리가 또 시작되었음을 직감하고 대답했다.

"하여간 협박은…."

"지금 뭐라고?"

"평소엔 아무 말 안 하다가 어쩌다 한 번 빼먹으면 그것만 가지고 난리야."

"엄마가 언제 못한 것만 말했어?"

"칫, 늘 그러면서. 나도 나름대로 열심히 하고 있어요. 내가 잘할 때는 아무 말 안 하다가 꼭 못할 때만 그래. 누가 들으면 내가 아무것도 안 하는 아인 줄 알겠네."

"그만 말대꾸하고 빨리 치우기나 해."

"재수없어."

"뭐? 너 어디 엄마한테 그런 말을 하니? 내가 네 친구야? 내가 그런 소리 들으려고 너 키운 줄 알아?"

"그러게. 왜 날 낳았대. 미워."

"너 그런 소리 할 거면 들어가. 들어가서 공부해. 대학 갈 성적도 못 되면서 입만 살아가지고."

"대학 안 가! 안 가면 되잖아."

결국 아이는 들고 있던 강아지 배변 패드를 휴지통에 내던지고 방으로 들어가버렸다. 민망해진 엄마는 감정이 상해 주방으로 자리를 피했다.

제3자에게 말하듯 감정을 절제해보자

사실 엄마가 아이에게 말하려고 한 건 아주 단순했다. 강아지 패드를 제때 치우라는 것이다. 그런데 두 사람은 세계대전이라도 치른 듯 피 흘리는 부상만 입고 말았다. 시작은 가벼웠는데 끝은 왜 이렇게 처참한 것일까? 대화는 어디에서 어긋나게 된 걸까?

대부분의 부모는 사춘기 아이와 이야기를 하다가 대화가 꼬이기 시작하면 '아휴, 관두자. 괜히 감정만 상하지' 하면서 대화의 무대에서 퇴장해버린다. 그렇지 않으면 절대 지지 않겠다는 마음으로 아픈 말로 아이를 날카롭게 공격한다.

이런 일을 반복하지 않으려면 일단 대화의 핵심에서 벗어나지 말아야 한다. 앞의 경우도 아이가 무슨 대답을 하든 '개가 오줌 싼 패드를 바꾸라'는 간단한 요구만 반복해서 말했다면 대화가 강아지 배변 패드에서 대학 입시 성적으로 건너뛰지는 않았을 것이다. 하지만 누군가 대화 주제와 상관없는 이야기로 감정을 건드리면 이때부터는 서로를 비꼬거나 약점을 공격하면서 대화가 걷잡을 수 없이 튀기 시작한다.

편안한 대화를 위해서는 아이를 존중받아야 할 인격체로 여겨야 한다. 내 마음대로 칼을 휘두를 수 있는 대상이 아니라 자기 생각과 자존심을 가진 사람으로 분리해서 생각하는 자세와 노력이 필요하다.

옆집 아이가 놀러왔다면 그 아이에게 어떻게 말할까를 생각해보면 된다. 옆집 아이라면 아마 같은 상황에서 감정은 배제한 채 사실에 근거한 말을 할 것이다. 꾸짖기 전, 먼저 안심시키고 해결책을 알리는 말을 할 것이다. 우리 모두 제3자에게는 감정을 절제하고 조심한다는 뜻이다. 아이와 대화할 때 그런 점을 염두에 두면 핵심을 벗어난 말로 아이에게 상처 주는 일은 조금 덜하게 될 것이다.

집을 벗어나
분위기를 바꿔보자

집에서 엄마와 사춘기 아이가 얘기를 나누는 광경을 떠올려보자. 엄마는 아이 방문을 열고 서 있고, 아이는 책상 의자에 비스듬히 앉아 있거나 침대에 누워 스마트폰을 들여다보고 있다. 아이는 엄마가 빨리 말을 끝내고 저 방문 좀 닫아주었으면 하는 눈치다. 이런 상태로는 아무리 좋은 이야기를 해도 잔소리로밖에 들리지 않는다.

인간에게는 오감이 있다. 냄새를 기억하고, 귀에 들려오는 소리를 기억하고, 눈에 들어오는 풍경을 기억하고, 그때 주고받은 대화를 기억한다. 그래서 집이 아닌 새로운 분위기는 대화에 멋들어진 옷을 입히게 된다. 뇌에 그 내용을 저장하는 데에도 우선권을 선사한다.

사춘기 아이와 대화하는 것이 어렵고 부담스럽게 느껴지는 부모라면 집을 벗어나 대화 분위기를 바꿔보는 것도 도움이 된다. 새로운 분위기는 대화의 물꼬를 튼다.

특별한 장소가 아니어도 좋다. 아이를 차에 태워 학교나 학원에 데려다주는 길이라면 말하기 껄끄러운 내용도 지나가듯 자연스럽게 꺼낼 수 있다. 단, 운전 중에는 얼굴에 드러난 감정을 읽을 수 없으므로 '미안하다' 혹은 '잘못했어요'처럼 사과해야 하는 내용은 적합하지 않다.

가까운 카페도 꽤 괜찮은 장소다. 아이는 자신이 어른처럼 대접받는 느낌이 들고, 부모는 공개된 장소이기 때문에 아무래도 단어 선택이나 말투에 신경을 쓰게 된다. 또 제3자의 관점에서 좀 더 객관적으로 아이를 바라볼 수 있게 된다. 이렇듯 장소만 바꾸어도 평소와는 다른 눈과 마음으로 아이를 대할 수 있다.

집 근처의 공원 벤치도 좋은 장소다. 아이스크림이나 간단히 마실 음료를 가지고 가서 이야기를 해보자. 흡연자들이 모이거나 사람들의 통행이 잦은 곳이면 중요한 순간에 대화가 끊기거나 집중하기가 어려우므로 주의한다. 기분이 내키면 대화 후 함께 가벼운 산책을 하거나 아이가 좋아하는 음식을 먹으러 간다.

한 달에 한 번 정도는 외식을 하면서 여유를 부려보는 것은 어떨까? 매달 마지막 주 토요일 오후는 아이와 맛있는 간식을 먹으며 수다 떠는 시간으로 정해두는 것이다. 아이는 그 시간을 기다릴 수도 있다.

내가 개인적으로 자주 이용한 장소는 도서관과 서점이었다. 도서관에서 한두 시간 읽고 싶은 책을 찾아서 뒤적거리다가 도서관 밖에 의자에 앉아 잠시 이야기를 하는 것이다.

도서관에서는 학교 공부나 숙제와 상관없이 아이가 좋아하는 책을 찾아 읽게 한다. 단순히 책을 찾아보기만 해도 아이의 생각이 열릴 수 있다. 세상에 이렇게 많은 책이 있다는 걸 알게 되면 타인의 말과 시선에 좀 더 귀를 기울이게 된다.

서점에서는 책을 둘러보다가 아이가 눈을 반짝이며 사고 싶은 책을 가져올 수도 있다. 이때 "공부에 필요한 참고서도 아닌데 꼭 사야 돼?" 하면서 아이의 호기심을 죽이지는 말자. 읽고 싶은 책을 스스로 찾아내는 것도 공부 못지않게 중요한 경험이다.

주말 1시간, 아이의
생각을 읽는 시간

한 지붕 아래서 날마다 얼굴 보며 살아도 사춘기 아이의 속내를 다 알기는 쉽지 않다. 아이가 잘 자라주기를 바라는 마음과 사랑은 차고 넘치지만 무슨 생각을 하고 무엇을 원하는지는 구체적으로 잘 알지 못한다.

부모가 가고 싶은 목적지와 아이가 가고 싶은 목적지가 같다면 별 문제가 없다. 아이를 향한 부모의 노력도 헛되지 않다. 그러나 목적지가 서로 다르면 하루하루 피 말리는 심정이 된다. 열심히 아이를 이끌면 이끌수록 둘 사이는 멀어지기만 한다.

이런 상황을 겪지 않으려면 평상시에 아이의 생각과 고민을 알고 있어야 한다. 아이가 꿈꾸거나 기뻐하고, 절망하거나 두려워하는 것이 무엇인지 알아야 한다. 나는 그런 의미에서 사춘기 아이의 속마음을 읽는 시간으로 '주말 1시간 대화'를 권한다. 어릴 때부터 이런 시간을 갖는다면 더 좋을 것이다. 그러면 자라면서 아이가 보내는 여러 사춘기 징후와 사인을 제때 읽고 대처할 수 있다.

그렇다면 주말 1시간 대화 후 아이에겐 어떤 변화가 생길까?

결론부터 말하면, 그건 아무도 알 수 없다. 일주일에 1시간씩 대화를 나눈다고 해서 아이의 생각을 다 알 수 있으리라 생각하는 건 욕심이다. 꽉 잠긴 아이의 마음을 쉽게 열 수 있을 거라고 기대해서도 안 된다. 그러나 그 시간은 '사춘기'라는 성장통을 겪는 내 아이를 돕는 귀한 시간이 될 것이다. 또 서로에 대해 신뢰를 쌓고 좋은 관계를 만들어가는 시간이 될 것이다. 사춘기 문제를 막는 예방접종 같은 시간이 될 수도 있다. 10대는 가슴을 치는 한마디 말에 인생을 바꾸기도 한다. 그게 10대가 가진 위대함이고 가능성이다. 성공한 어른 백 명보다 문제아 한 명이 더 큰 희망과 가능성을 가진 이유다.

주말 1시간 대화의 원칙

잘하고 싶다는 마음만으로는 생각만큼 자연스럽게 말이 나오지 않는다. 언어는 습관이기 때문이다. 그래서 부모에게도 의식적인 훈련과 연습이 필요하다. 아이와 주말 1시간 대화가 막연하게 느껴진다면 다음과 같은 방법으로 천천히 접근해보자.

첫째, 일정한 시간을 정해둔다. 장소는 계절과 분위기, 필요에 따라 달라질 수 있지만 대화 시간은 일정한 게 좋다. 금요일 저녁이나 토요일 점심 또는 저녁 가운데 하루는 아이와 식사를 하며 대화하는 시간으로 미리 빼둔다. 그러면 아이도 예상할 수 있어서 거부감을 덜 느끼게 된다. 이 시간만큼은 모두 스마트폰을 내려놓는다. 스마트폰으로부터 자유로워야 서로에게 집중할 수 있다.

둘째, 장소는 가급적 사람들의 시선을 신경 쓰지 않고 편하게 이야기를 나눌 수 있는 곳이라야 한다. 너무 시끄럽거나 오가는 사람들이 많아서 시선이 분산되는 곳만 아니라면 어디든 괜찮다. 아이가 좋아하는 공연이나 영화 등을 관람한 후 대화를 나누는 것도 좋다. 아이가 좋아하는 음식점에서 저녁을 먹으며 첫 번째 주말 대화를 시작해보자.

셋째, 가벼운 이야기로 시작한다. 예를 들어 부모의 청소년 시절이나 어릴 적 친구 이야기, 좋아했던 것들에 대한 이야기가 적당하다. 데이트하듯 부드럽게 말을 이어간다.

넷째, 익숙해지면 미리 대화 주제를 정한다. 부모의 요구나 바람이 담긴 주제가 아닌, 아이가 관심 가질 만한 주제이거나 아이의 생각과 마음을 움직일 수 있는 주제가 바람직하다. 앞으로 살아가면서 겪게 될 문제에 대해 부모의 지혜와 경험을 들려주는 시간이라고 생각하자. 한 주간 사회적으로 이슈가 된 문제가 있다면 그 주제로 대화를 나누어도 좋다. 대화 주제를 정해놓지 않으면 늘 비슷한 이야기가 오가기 때문에 자칫 지루해질 수 있다.

다섯 째, 주제가 있는 날에 '아이에게 이걸 가르쳐야지', '이건 꼭 말해줘야지' 하다 보면 할 말에만 신경 쓰느라 아이 말을 흘려들을 수 있다. 주제를 미리 정하는 이유는 대화가 좀 더 자연스럽게 흘러가도록 하기 위함이다. 아이가 주제와 다른 엉뚱한 이야기를 해도 짜증을 내거나 말을 막는 것은 금물이다. 중요한 건 아이의 말을 들어주는 것이다. 아이는 부모가 시간을 내서 온전히 자신의 이야기에 귀 기울여준다는 것에 특별함을 느끼게 된다.

여기서 지켜야 할 점은 아이와 나눈 대화를 다른 가족과 공유하지 않는 것이다. 둘이서만 한 이야기를 가족 중 누군가 아는 척을 하면 아이는 부끄러움이나 배신감을 느낄 수 있다. 일대일 대화 시간에 익숙해지면 이따금 다른 가족 구성원이 참여해도 좋다.

여섯 째, 아이가 무슨 이야기를 해도 수용한다. 만약 아이가 생각지도 못한 이야기를 털어놓거나 용납되지 않는 요구를 해온다면 그날 바로 답을 주거나 결론을 내리지 말고, 다음 주까지 함께 생각해보자고 말한다. 부모를 믿고 도움을 요청하는 것이므로 모든 걸 수용한다는 마음을 가져야 한다.

일곱 째, 1시간을 함께했다는 것으로도 의미가 있다. 주말 1시간 대화 후에도 아이가 마음을 열지 않거나 변화하지 않으면 '학원에 보내서 공부나 시킬 걸. 이런 시간이 아이 인생에 도대체 무슨 도움이 될까?' 하고 회의가 생길 수 있다. 하지만 특별한 이야기를 주고받지 않았어도 함께 보낸 시간에 대한 기억은 살아가는 동안 아이에게 큰 위로와 힘이 되어줄 것이다. 한여름 옥수수를 보라. 하루 종일 옥수수를 지켜봐도 언제 자라는지 눈으로는 알 수 없다. 그러나 다음 날 아침이면 쑤욱 자라난 옥수수를 보게 된다. 지금 당장은 아이의 변화가 눈에 보이지 않지만 어느 순간 성숙한 아이의 눈빛을 보게 될 것이다.

아이는 물레 위에 올려진 도자기 반죽과 같다. 부모가 쓰다듬고 문지르는 대로 모양을 잡아간다. 주말 1시간 대화는 도자기 반죽처럼 아이의 '생각의 틀'을 잡아주는 시간이다. 또한 부모와 아이의 시선이 같은 곳을 향하도록 조율하는 시간이기도 하다. 매일 마주하는 시간과 상황, 공간을 벗어나 어유로운 대화의 시간을 가져보자.

사춘기 아이에게 이렇게 말해보세요!

예민한 사춘기 아이와 대화하는 일을 너무 어렵게만 생각하지 말자. 거창하고 심오한 말이 아니라 쉽고 간단한 말부터 연습하고 바꾸면 된다. 그 작은 연습이 아이와 한걸음 더 가까워지는 계기가 될 수 있다.

아이의 일상이 궁금하다면

아이의 일상과 관련된 질문은 학교에서 돌아왔을 때나 식사를 챙겨줄 때 등 날마다 비슷한 시간, 비슷한 내용으로 반복된다. 하지만 늘 새로운 마음으로 새롭게 시작해야 한다. 익히 알고 있다고 아무것도 묻지 않으면 아이에게 변화가 생겼을 때 알아챌 수 없다.

"오늘도 힘들었지? 재미있는 일은 없었니?"
"오늘 가장 힘들었던 일은 뭐야?"
"오늘은 학교 급식으로 무슨 반찬이 나왔어? 어떤 메뉴가 제일 좋아?"
"점심시간에는 누구랑 같이 밥을 먹었니? 밥은 맛있었어?"
"오늘 가장 지루했던 수업은 뭐야?"

아이에게 따뜻한 공감을 표현하고 싶다면

100가지의 이성적인 해결책으로 얻을 수 없었던 아이의 마음을 여는 데 공감의 말보다 더 좋은 건 없다. 아이가 학교에서 있었던 일이나 고민거리를 늘어놓으면 다음과 같이 말하면서 진심으로 듣고 공감해주자.

"그래, 그랬구나."
"그래, 맞아. 그런 감정이 들 거야."
"누구라도 너처럼 그랬을 거야."
"그렇구나. 이해해."
"혼자서 힘들었겠구나."
"충분히 그렇게 생각할 수 있어. 네가 잘못한 게 아니야."

아이가 이제부터 잘하겠다고 말한다면

나쁜 습관이나 잘못된 행동을 반복한 아이가 앞으로는 안 그러겠다고 다짐할 때 가장 나쁜 말은 과거의 실수를 지금의 상황과 연결시키면서 부정적인 결과를 예언하는 말이다. 설령 또다시 실망시키는 일이 생기더라도 일단은 격려와 기대의 말로 응대하는 것이 좋다.

"그래, 어디 두고 볼 거야. 그 약속이 얼마나 가는지." (×)

"어제까지 잘못한 것은 이제 잊을게. 네 말처럼 오늘부터 다시 잘하는 것이 중요한 거야. 넌 잘할 수 있어. 엄마는 널 믿어." (○)

아이가 충분히 노력했다고 말한다면

공부나 어떤 일을 할 때 결과가 기대에 충족되지 않는다고 해서 아이의 노력까지 폄하하면 안 된다. 부모가 보기에 노력이 부족했더라도 그것을 깎아내리기보다는 일단 인정해준 다음 독려하는 게 좋다. 더 열심히 해야 하는 이유를 설명할 때도 '이 정도도 못하면…' 하고 최소의 기준으로 말하지 말고, '이것을 하면 네가 얻게 될 것은…" 하며 최대의 결과를 기준으로 말한다. 최소의 조건을 맞추기 위해 움직이는 마음은 소극적이고 억지로 해야 하는 마음이지만, 최대의 결과를 얻기 위해 움직이는 마음은 더 나은 결과를 바라보기 때문에 적극적인 마음이 된다.

"노력도 노력 나름이지. 노력하면 뭐하니, 결과가 나쁜데." (×)

"열심히 한 것에 비해 결과가 만족스럽지 않지? 이번에는 그렇지만 노력하는 과정은 쌓이는 거니까 언젠가 더 좋은 결과가 나올 거야. 너무 실망하지 마." (○)

아이가 자기 잘못을 인정하지 않는다면

부모가 당장 원하는 것만 대답하라고 강요하지 말고 일단 아이의 생각을 들어보자. 다르게 생각하는 지점을 살펴보고 잘못한 게 맞다면 인정해야 하는 당위를 알려준다. 아이가 자신의 행동에 대한 처신을 배울 수 있다.

"무슨 말이 그렇게 많니? 잘못한 건 그냥 인정하면 되잖아." (×)

"너는 엄마 생각과 다른 것 같은데 엄마가 어떻게 해주기를 바라니? 엄마는 너의 잘못을 함께 이야기해보고 싶어." (○)

✦ PART 4 ✦

갈등을 줄이고
관계를 편안하게
만드는 사춘기
대화 코칭 10

아이에게 어떤 문제가 생겼을 때 혹은 아이와 어떤 갈등이 생겼을 때 어떻게 대화하여 문제를 풀어나갈 것인지 알아보자. 들어주고 공감하고 되묻고 인정해주고 격려하고…. 갈등을 줄이고 관계를 편안하게 만드는 대화에는 몇 가지 원칙이 있다.

같은 마음이 되어
아이의 말을 듣는다

기태는 학년이 스무 명도 안 되는 작은 초등학교를 졸업하고 중학교에 입학했다. 그런데 또래에 비해 몸집이 크다는 이유로 반 아이들에게 '노는 애' 취급을 당하고 있었다.

"엄마, 애들이 나한테 일진이냐고 툭툭 치면서 놀려. 하지 말라고 해도 쉬는 시간이면 와서 난리야."

"저런. 기분 나빴겠네."

"응. 내가 일진처럼 보이나 봐."

"그러게. 왜 애들이 그렇게 생각할까? 네가 강해 보였나 보다."

"애들이 쉬는 시간에 내 팔뚝을 만지고 귀찮게 해서 들고 있던 플라스틱 자를 손으로 살짝 구부렸는데 뚝 부러지는 거야. 그랬더니 '와, 힘세다!' 하면서 더 놀려."

"애들이 깜짝 놀랐겠다."

"킥킥. 일진인 척이라도 해야 되나?"

"넌 그렇게 보이고 싶어?"

"약해 보이는 것보단 나은데, 그렇다고 일진 취급당하는 것도 별로야."

"그래. 애들한테 오해받는 것도 기분이 좋을 것 같진 않아."

"그냥 모른 척하고 무시할까?"

"엄마 생각에도 당분간은 모른 척하는 게 좋을 것 같은데."

"칫, 마음대로 생각하라고 그래. 나만 아니면 되지."

엄마는 기태에게 특별한 해법을 제시하지 않았다. 단지 기태의 이야기를 같은 마음이 되어 들어주었다. 그런데 이것만으로도 기태는 자신의 감정이 그대로 받아들여지고 있으며, 자신이 잘못한 게 아니라는 것을 알아서 안심하게 되었다. 이렇게 어떤 문제는 같은 마음이 되어 들어주는 것만으로도 해결이 된다.

만약 엄마가 기태의 마음보다 자신의 생각과 판단을 더 중요하게 생각했다면 이야기는 다르게 흘러갔을 것이다.

"엄마, 애들이 나한테 일진이냐고 툭툭 치면서 놀려. 하지 말라고 해도 쉬는 시간이면 와서 난리야."

"널 일진이라고 한다고? 너 혹시 이상한 애들이랑 노니?"

"그게 아니라 그냥 내가 들고 있던 플라스틱 자를 손으로 살짝 구부렸는데 자가 뚝 부러졌어. 그랬더니 '와, 힘세다!' 하면서 더 놀린다니까."

"그래? 먼저 못된 짓 한 건 정말 없는 거지?"

"아니라니까. 엄마는 왜 자꾸 내가 잘못한 것처럼 말해."

"아니, 혹시 오해할 만한 행동을 한 건 아닌지 걱정되어서 묻는 거잖아."

"엄마는 항상 나만 갖고 그래."

중간에 말을 가로채지 않는다

같은 마음이 되어 들어준다는 것은 아이가 하고 싶은 말을 할 수 있도록 편안한 분위기를 만들고, 어떤 마음일까 생각하면서 듣는 것이다. 아이가 어떤 문제를 말했다면 가만히 들으면서 왜 그러한 일이 생겼는지, 그때 기분이 어땠는지, 다른 사람들은 어떻게 했는지 등 질문을 만들어 대화를 이어간다. 아이가 마음을 털어놓았을 때 적절한 위로나 공감이 아닌 부모가 하고 싶은 말만 하면 '부모님한테 말해도 소용없잖아'라며 실망할 수 있다.

더 나쁜 것은 부모가 중간에 말을 가로채거나 아이의 말이 끝나자마자 '네가 그렇게 행동하니까 그렇지! 그럴 땐 이렇게 했어야지' 하는 식으로 아이를 지적하는 것이다. 그 순간 아이는 부모에게 배신감을 느끼거나 상처를 받아서 속내를 잘 말하지 않게 된다.

"그럴 줄 알았어. 엄마는 항상 나만 잘못했다고 하지."

아이가 이런 말을 했다면 엄마에게 큰 상처를 받았다는 뜻이다.

같은 마음으로 이야기를 들어주었다면 이후는 아이에게 용기를 주고 힘을 주는 말을 해줄 차례다. 단순히 격려의 말로 해결되지 않는 문제라면 해결을 위해 더 적극적으로 움직여야 한다. 전문가의 도움을 받을 수도 있고, 상대방을 만나서 이야기를 할 수도 있다. 아이와 더 자주, 깊은 대화가 필요할 수도 있다.

부모의 기분과
감정 상태도 중요하다

사춘기 아이와 대화할 때 부모의 감정 상태가 중요하다는 말은 무슨 뜻일까?

상담을 하다 보면, 부모의 기분이나 감정이 대화에서 의도치 않은 결과를 낳는 걸 많이 보게 된다. 부모도 사람인지라 기분이 좋지 않거나 몸이 편치 않을 때는 같은 상황이라도 말이 다르게 나올 수 있다.

부엌에서 설거지를 하고 있는데 학교에 다녀온 아이가 엄마를 부르며 부리나케 달려온다. 그런데 그때 식탁 위에 놓인 유리 물병을 팔로 건드리는 바람에 물병이 떨어져 박살이 난다. 유리 파편과 물이 거실과 부엌 바닥 사방에 튄다.

"아이고, 깜짝이야. 어디 다친 데는 없니?"

혹은 이렇게 말할 수도 있다.

"식탁 위에 유리병 있는 거 못 봤구나. 잠깐 기다려. 엄마가 유리 먼저 치울게."

아이는 의도적으로 물병을 깨뜨린 것이 아니다. 따라서 일어난 상황만 해결하면 된다. 아이는 자신의 실수를 처리하면서도 자신을 걱정하는 엄마를 보니 미안해진다. 그러면서 실수를 어떻게 처리하는지 배우게 된다.

그런데 이 상황은 이렇게 전개되기도 한다.

"아휴, 눈을 어디다 두고 다니는 거야! 넌 여자애가 왜 이렇게 칠칠맞니?"

대개 엄마가 피곤하거나 심리적으로 편하지 않을 때 이런 경우가 생긴다.

"내가 알았어?"

울컥한 아이도 목소리를 높인다.

"그러게 매사에 덤벙거리지 말고 조심하라고 했지!"

"엄마가 물병을 냉장고에 뒀으면 안 깨졌잖아."

"뭐? 그럼 나 때문에 유리병이 깨졌다는 거야?"

"누가 엄마 잘못이래? 그냥 그렇다는 거지."

"아휴, 속 터져."

"짜증나."

부모들은 자신이 피곤해도 아이를 사랑하는 마음이 지극하니 아이를 향해서는 사랑의 말만 할 거라고 생각한다. 하지만 결코 그렇지 않다. 몸이 피곤하면 별것 아닌 상황에서도 쉽게 폭발하여 아이에게 짜증과 화를 내게 된다. 피곤한 몸과 마음은 아이의 부탁이나 아이가 만드는 사소한 실수에도 견디기 어려운 예민한 촉수를 세우게 한다.

기분이나 감정은 말에 영향을 준다

살다 보면 컨디션이 좋지 않을 때 아이와 해결되지 않는 문제로 부딪칠 수 있다. 그럴 때는 잘못된 행동을 지적하되, 사실만 말하면서 침착한 태도를 유지한다. 감정적인 말은 참는다. 의식적인 훈련이 필요한 일이지만, 그렇다고 불가능한 일도 아니다.

부모가 자신의 기분이나 감정을 다스리기 어려운 상태에서는 아이를 완전하게 이해하고 공감해주기 어렵다. 체력적으로 힘들 때도 마찬가지다. 그럴 때는 갈등을 일으키는 문제에 대해서는 언급하지 않거나 길게 말하지 않는 게 좋다.

기분이나 감정 상태가 좋지 않으면 아이를 바라보는 시선도 부정적이 되기 쉽다. 부모는 아이를 바라볼 때 마음속에 있는 안경을 통해 바라본다. 그래서 부모의 마음에 상처가 있으면 아이를 바라볼 때 상처가 난 그대로 아이를 본다. 근심이 있거나 복잡한 생각이 있으면 아이가 그냥 보이지 않고 그 복잡한 일을 통해서 보인다. 그래서 아이에게 필요한 말이 아니라 부모의 상황에서 나오는 말을 하게 된다.

아이에 대해 부모가 느끼는 불안이나 기대는, 말에 그대로 영향을 준다. 아이 미래에 기대와 신뢰를 가진 부모는 아이가 뭔가를 요구하면 "그래, 그 정도는 해줘야지" 하면서 긍정적으로 생각한다. 그러나 아이의 미래가 불안하면 "그렇게 한다고 되겠어?"라고 말하며 비관하게 된다.

아이 때문에 마음이 상한 상태에서 하는 말도 나쁜 결과를 가져올 수 있다. 부모가 아이를 바라보는 시선에 이미 먼지가 끼어 있기 때문이다. 검은 선글라스를 끼고 화창한 날 왜 이렇게 날이 어둠침침하냐고 날씨를 탓하는 어리석은 말을 할 수 있다.

질문으로
아이의 말문을 연다

엄마는 학교에서 돌아온 영주를 맞으며 묻는다.

"얼굴이 피곤해 보이네. 급한 공부 없으면 밥 먹고 좀 쉴래?"

"괜찮아요. 숙제해야 돼요."

영주는 피곤한 듯 자기 방으로 들어간다.

상철이 엄마 역시 학교에서 돌아온 아이를 맞으며 묻는다.

"얼굴이 왜 그래? 뭔 일 있어?"

"…"

상철이는 대답이 없다.

"무슨 일인데 얼굴이 죽상이야?"

"엄마는 내가 무슨 일 있었으면 좋겠어?"

상철이는 인상을 쓰며 자기 방으로 들어간다.

"으이그, 무슨 말을 못해."

상철이 엄마는 억울하다. 말만 하면 인상을 쓰거나 무성의한 대답이 돌아오기 때문이다.

밖에서 피곤한 모습으로 돌아온 아이에게 두 엄마가 한 질문의 의도는 똑같다. 평소보다 피곤해 보이는데 무슨 일이 있었는지 궁금하다는 뜻이다. 영주는 엄마의 질문에 큰 불만이 없다. 반면, 상철이는 욱하고 화를 내고 말았다. 차이가 무엇일까?

영주 엄마는 먼저 영주의 상태를 파악한 후 아이에게 필요한 것을, 아이의 입장에서 물었다. '무작정 쉬어라'가 아니라 급한 공부가 없으면 좀 쉬라는 제안을 한 것이다. 반면, 상철이 엄마는 상철이 얼굴을 보고 엄마의 궁금증과 판단을 더해서 말했다. 상철이가 피곤한 것보다는 엄마의 궁금증이 더 중요하다는 메시지를 전달한 것이다. 그렇지 않아도 피곤한데 엄마가 캐묻듯 질문을 해서 상철이는 짜증이 났을 것이다.

예민하고 불안정한 사춘기 아이 마음을 열고 편안하게 대화하려면 좋은 질문이 필요하다. 질문을 통해 날마다 조금씩 성장하는 아이의 상태를 알고 올바르게 이끌어주기 위해서다. 또 문제가 있다면 바로잡아주기 위해서다. 다만, 질문을 할 때는 '엄마는 이미 다 알고 있는데 네가 거짓말을 하는지 안 하는지 알아보려고 묻는 거야' 하는 취조 분위기를 만들면 안 된다. 그 순간 아이는 마음의 문을 닫아버린다.

다양한 질문으로 아이 생각을 읽는다

아이가 놓치는 게 있거나 말의 앞뒤가 맞지 않을 때 질문을 하면 좀 더 구체적인 내용을 들을 수 있다. 만약 아이가 친구나 선생님 등 제3자의 이야기만 하고 자신의 감정이나 역할은 이야기하지 않는다면 '그때 넌 뭐라고 했어?', '넌 뭘 하고 있었는데?', '무슨 생각이 들었어?'라고 물으면서 아이의 상황을 파악한다. 물론 질문이라고 해서 꼭 의문형일 필요는 없다. '그래, 기분이 좀 그렇겠다. 그렇지?' 하면서 감정에 동조하는 것도 질문의 한 방법이다.

아이에 따라서는 질문에 늘 정답을 말해야 한다는 부담감을 갖기도 한다. 이런 아이에게는 질문을 가볍게 하고, 대답을 피하면 억지로 캐묻지 않는다. 소극적인 아이라면 누가 하는 어떤 질문이든 대답하는 것 자체를 부담스러워할 수 있다.

그렇다면 평소 사춘기 아이와 대화를 이어나가기에 좋은 질문이란 어떤 것일까?

일단 '네', '아니오'로 심플하게 끝나는 질문은 좋은 대화 질문이 아니다. 단답형 질문보다는 서술형으로 답할 수 있는 질문이 좋다. '~은 좋지?' 혹은 '~은 싫지?' 하는 질문보다는 '넌 어떻게 생각하니?'처럼 아이의 생각을 물어보는 질문이 좋다.

재미있는 기억을 떠올릴 수 있거나 좋아하는 친구와 관련된 질문도 바람직하다. 대답하는 것 자체가 즐겁기 때문이다.

때로는 깊이 생각해서 답해야 하는 질문도 던져본다. "엄마는 그때 이렇게 생각했는데 네 생각은 어땠어?" 하면서 자연스럽게 아이 생각을 물어본다. 단, 이런 질문은 너무 많이 하지 않는다. 생각하기 싫어하는 아이는 그런 질문이 불편하고, 모든 질문에 완벽하게 답을 해야 한다고 생각하는 아이도 제대로 답을 했는지에 신경이 쓰일 수 있다.

● 대화를 이어나가는 좋은 질문

간단하고 명확한 질문

'네', '아니오'보다는 서술형 대답이 나올 수 있는 질문

아이가 자신의 상황이나 문제를 생각해볼 수 있는 질문

답하면서 자신이 놓치고 있는 부분이 무엇인지 알게 되는 질문

● 대화를 방해하는 나쁜 질문

아이의 인격을 공격하는 질문

예) 넌 도대체 잘하는 게 뭐야?

아이의 자존심을 긁는 질문

예) OO는 운동이라도 잘하지. 넌 뭘로 대학 갈 거야?

아이를 의심하는 질문

예) 학원에 등록해주면 열심히 하긴 할 거야?

현장에 없는 제3자의 홈이 드러나는 질문

예) 네 친구 OO는 별로야. 그 애 성격은 괜찮아?

집중하고 공감하고 있음을 표현하자

아이가 말할 때는 진심으로 듣고 있다는 표현을 드러낸다. 하고 싶은 말을 충분히 털어놓을 수 있도록 흐름을 방해하지 않고 끝까지 들으면서 그때그때 적절한 추임새를 넣어주는 것이다.

"오늘 급식시간에 모르는 애가 나를 째려보면서 '야, 거기 수저 하나 던져!' 하더라고. 눈빛이 무섭기도 하고 맘에 안 들었어."

"그랬구나. 기분 나빴겠다."

오로지 '저런', '그래서?', '그랬구나' 하면서 이야기를 들어주면 부모가 특별한 말을 하지 않아도 아이는 마음이 편해진다. 자기 이야기를 주의 깊게 듣고 있다는 것을 알면 계속 말하고 싶어진다. 상황에 따라 이야기를 간단하게 요약해서 되물으면 아이가 보충 설명을 할 수도 있고, 부모 자신이 제대로 이해하고 있는지도 확인할 수 있다.

아이가 격한 감정을 토로할 때 부모가 보이는 적절한 공감과 동조는 아이를 안심하게 한다. 이런 경험은 아이로 하여금 자신의 감정을 있는 그대로 표현하는 것에 부담 없고 편안한 마음을 갖게 한다.

"친군데 뭐가 무서워. 바보 같이."

부모가 만약 이렇게 반응했다면 아이는 어떻게 느낄까? 아이는 무서웠던 자신의 감정을 이해받지 못한 것도 억울하고, 바보 같다는 소리를 들은 것도 부끄럽게 느껴진다. 그래서 한편으론 이제 자신의 감정을 있는 그대로 표현하지 않겠다고 생각한다.

아이들은 부모에게 어디까지 이야기를 해야 하는지 경험을 통해 빠르게 배운다. 부모에게 해도 되는 이야기와 하면 안 되는 이야기를 구분 짓는 것이다. 괜히 말했다는 생각으로 마음이 한 번 닫히고 나면 그 마음을 다시 열기까지 얼마의 시간과 노력이 필요할지는 아무도 알 수 없다.

그런가 하면, 아무 말 하지 않고 가만히 듣는 것도 대화에 집중하고 있음을 표현한다. 다만, 침묵은 동조한다는 간접적인 표현이기도 하고, 때로는 거부의 의미이기도 하다. 때에 따라서는 침묵이 비난의 의미로 느껴질 수도 있다. 이처럼 침묵은 쓰기에 따라 달라지는 미묘한 대화의 기술이다.

"학원 보충수업에 가야 되는데…. 아! 가기 싫다."

"…."

"엄마, 그래도 가야겠지?"

"…."

"힝, 가기 싫다."

"잘 갔다 와. 갔다 와서 하고 싶은 거 하면 되잖아."

마지막 이 한마디가 지금까지의 침묵은 이해와 동조였다는 의미를 갖게 만든다.

만약 '가기 싫다'고 하는 아이의 마지막 말에도 엄마가 침묵으로 응대했다면 앞선 침묵은 모두 아이에게 부정적인 메시지로 전달되었을 것이다. '엄마는 네 문제에 관심 없으니까 가든가 말든가 알아서 해' 하는 무관심이 되는 것이다. 그러므로 아이 말에 일정 부분 침묵하더라도 마무리는 그 침묵에 긍정적인 의미를 부여할 수 있는 말로 끝내는 게 좋다.

"그래, 우리 딸은 스스로 잘해서 참 좋아. 잘 다녀와."

이런 말로 대화를 마무리하면 아이에게는 엄마의 침묵이 무관심이 아닌 관심을 가진 기대로 전해질 수 있다.

그럼, 이런 대화는 어떤가?

"학원 보충수업에 가야 하는데…. 아! 가기 싫다."

"열심히 해도 안 될 판에 그렇게 공부하기 싫어서 어떻게 하니."

"누가 공부하기 싫대? 오늘은 그냥 가기 싫다는 거지."

"거기 비싼 학원이야. 빼먹지 말고 얼른 가."

"엄마는 맨날 돈, 돈, 돈! 그깟 학원비 얼마나 한다고."

대화가 이렇게 전개될 바에는 차라리 침묵으로 응대하는 게 낫다.

한편, 어떤 설명이나 이유 없이 아이의 말에 계속 침묵한다면 그것은 비난과 거부의 뜻으로도 전달된다. '네 말은 들을 가치도 없다' 혹은 '그

걸 말이라고 하니?' 등의 메시지가 되는 것이다. 만약 이런 의미를 전하고 싶다면 침묵보다 "엄마는 그건 말이 안 된다고 생각해. 다시 생각하고 말해줘"라는 말로 아이에게 재고의 여지를 준다.

대화 중 침묵이 필요한 순간

아이가 앞뒤 없이 고집을 피우면서 자기주장만 한다면 잠시 침묵을 선언하는 것도 방법이다.

"잠깐 대화를 멈추는 게 좋겠다. 계속 그렇게 네 고집만 피우면 엄마도 무슨 말을 해야 할지 모르겠어."

아이와의 대화 중 침묵이 필요한 순간은 감정이 통제되지 않아 톤이 높아지거나 얼굴 표정이 달라질 때다. 화가 나서 하는 말에는 아무리 좋은 의도라도 나쁜 감정이 섞이게 된다. 그러면 듣는 사람 역시 의도와 상관없이 감정이 상할 수밖에 없다. 이럴 때 침묵은 대화의 흙탕물을 가라앉혀준다. 감정이 정제되고 나면 좀 더 차분하게 이야기를 시작할 수 있다. 아이에게도 감정을 가라앉히고 자신이 했던 말이나 행동을 뒤돌아볼 여유를 줄 수 있다.

이때의 침묵은 무작정 말을 하지 않는 것이 아니다. 좀 더 효과적인 대화를 위해서 잠시 말을 멈추고 생각을 정리하는 시간이다. 그렇기 때문에 침묵하는 동안 부모는 상처 난 자존심이나 아이가 한 말에 대해 곰곰이 생각하면서 분노를 곱씹어서는 안 된다. '아이가 왜 저렇게 말할까?', '우리가 지금 놓치고 있는 것은 무엇일까?'를 생각해보는 시간이어야 한다. 침묵하는 시간이 너무 길어지는 것은 좋지 않다. 5분 정도 함께 침묵한 후 다시 차분하게 대화로 돌아간다.

침묵하는 동안에는 가능하면 같은 공간에 머물면서 서로를 의식하는 게 좋다. 서로 다른 공간에 머물면 다른 일로 관심이 흐트러져 침묵의 효과가 희석될 수 있다.

인정하는 말로
아이의 자존감을 세워준다

중학교 1학년생 윤희는 현장학습을 갔다가 집으로 돌아가지 않고 공원으로 걸음을 돌렸다. 윤희의 부모님은 밤 11시가 넘도록 아이가 돌아오지 않자, 파출소에 실종신고를 한 후 경찰과 집 주변의 모든 길을 훑고 다녔다. 그러다 12시가 다 되어 공원에 혼자 앉아 있는 윤희를 발견했다. 엄마는 다행이다 싶으면서도 한편으로 화가 머리끝까지 났지만 참았다.

"윤희야, 여기서 뭐하고 있니?"

"그냥 앉아 있어."

"핸드폰도 꺼놓고 여기 있으면 어떻게 해. 내가 얼마나 걱정했는지 아니? 지금 2시간 넘게 너를 찾아 다녔어."

"왜 내 걱정을 해? 엄마는 언니만 있으면 되잖아."

"일단 집에 가자. 가서 얘기해."

겨우 아이를 달래서 집으로 데려오는 길에 엄마의 머릿속엔 내내 한 목소리가 맴돌았다.

'엄마는 언니만 있으면 되잖아.'

뭔가가 잘못되었다는 느낌이 들어 머릿속이 복잡했다. 늦은 시간이었지만 그냥 지나가면 안 된다고 생각해 식사를 마친 윤희를 불러 앉혔다.

"네가 올 때가 되었는데 안 와서 엄마 아빠는 많이 걱정했어. 오늘 왜 그랬는지 말해줄래?"

"집에 가기 싫었으니까."

"왜 그런 생각이 들었는데?"

"엄마는 언니밖에 모르고 나는 예뻐하지도 않고. 내가 언니보다 못 생기고 공부도 못하니까 나를 싫어하잖아. 내가 모를까 봐? 나도 다 알아."

"엄마를 그렇게 생각했어? 너를 언니보다 못났다고 생각해서 차별하고 싫어한다고?"

"기억 안 나? 언니 성적 얘기하면서 막 좋아했잖아. 내가 옆에 있는데 신경도 안 쓰고, 내가 잘해도 칭찬도 안 해주고. 관심이 없으니까 할 말도 없겠지 뭐."

엄마는 그제야 며칠 전 지인과 통화하던 때가 생각났다. 사실 공부뿐 아니라 모든 면에서 뛰어난 큰딸은 윤희 엄마의 기분 좋은 자랑거리였다. 그날도 큰딸이 서울의 상위권 대학에 지원할 것 같다는 이야기를 했는데 옆에 있던 윤희는 그 얘기가 영 듣기 싫었던 모양이다. 생각해보니 윤희와 대화 도중 걸려온 전화였고, 좀 길게 통화한 기억이 났다.

"우리 윤희가 엄마한테 얼마나 소중한 존재인데 관심이 없어? 그건 절대 그렇지 않아."

"내가 소중하다고? 난 잘 모르겠는데."

"윤희는 언니와 다른 사람이야. 언니보다 공부를 못한다 해도 그게 윤희를 덜 사랑하고 덜 관심을 갖는 이유가 될 순 없어. 엄마는 윤희가 어떤 모습이어도 너를 정말 사랑해."

윤희 엄마는 언니를 향한 윤희의 열등감과 반항심이 그렇게 갑작스러운 일탈 행동으로 이어질 줄은 몰랐다. 다행스럽게도 엄마는 아이의 일탈 행동 그 자체에 화를 내기보다는 아이 마음을 알기 위해 감정을 누그러뜨리고 차분히 대화를 이어갔다. 만약 '여자애가 겁도 없이 밤늦게 공원에 혼자 있으면 어떡하니?' 하면서 공원에 혼자 있었던 행동 자체를 가지고 이야기를 시작했다면 윤희가 그날 어떤 생각을 했는지, 어떤 마음이었는지 이해할 기회는 갖기 어려웠을 것이다.

작은 성취에도 인정해주는 말을 한다

윤희의 사례는 누적된 열등감이 하나의 사건을 계기로 폭발한 경우다. 윤희는 사춘기가 되면서 자신에 대한 정체성을 '공부 못하는 아이', '언니에 비해 부족한 아이', '예쁘지 않은 아이'로 인식한 듯하다. 부모가 깨닫지 못하는 사이에 다른 형제와 비교해 마음의 상처를 쌓아갔다.

윤희 엄마는 당황하지 않고 차근차근 문제를 잘 풀어나간 경우에 해당된다. 특히 아이가 하는 말에 즉각적으로 대응하지 않고, 자신의 감정을 잘 조절하면서 대화를 이끌어나간 것이 주효했다.

사춘기 아이들이 알면서도 삐딱하게 굴거나 '난 엄마가 제일 싫어!'라고 할 때는 '엄마는 이래도 내가 좋아?' 하고 묻는 것임을 알아야 한다. 그럴 때는 '네가 어떻든 엄마는 언제나 네 편이고 너를 사랑한다'고 존재 자체를 인정해주는 말이 필요하다. 아이들은 자기가 부모에게 있는 그대로 받아들여질 때 사랑받고 있다고 느끼기 때문이다. 이와 함께 아이의 사소한 가능성이나 작은 성취, 눈에 안 보이는 장점을 인정하는 말도 자주 해주는 게 좋다.

"너는 남을 배려하는 마음이 참 섬세해."

"어려운 숙제를 혼자서 해내는 것 보면 대단해."

"너는 인내심이 강해서 뭐든 해낼 거야."

"예의 바르게 말하는 습관은 꼭 필요하지만 누구나 가지고 있는 것은 아니지. 그런 면에서 넌 특별해."

인정하는 말은 좋은 성적이나 숫자로 보이는 것만이 아니라 그날그날 구체적인 칭찬거리를 찾아서 해준다. 인정해주는 말은 사춘기 아이의 자존감 형성에 비옥한 자양분이 된다.

조건부 사랑

부모들은 이따금 아이의 의욕을 끌어올리기 위해, 혹은 사랑을 이야기하면서 조건을 내걸 때가 있다. 예를 들어 부모가 원하는 목표를 달성하면 갖고 싶은 물건을 사준다고 하거나 더 많이 사랑해줄 거라고 말하는 식이다. 물론 이런 말들이 효과적일 때도 있지만, 아이에 따라서는 큰 상처가 될 수도 있다. 특히 부모가 지금 당장 변화될 수 없는 일이거나 시간이 필요한 일, 주관적인 생각에 의해 결과가 달라지는 것을 조건으로 내세워 사랑을 이야기하면 아이의 자존감에 상처를 입힐 수 있다. 아이는 '난 늘 뭔가를 더 잘해야 엄마 아빠의 관심과 사랑을 받을 수 있는 존재'라고 인식해서 자신의 모습에 만족하지 못하고 자신감을 잃게 된다. 조건부 사랑보다는 가급적 있는 그대로의 아이 모습을 인정하고 지지하는 말을 해주자.

"공부를 잘하면 더 예쁠 텐데."
▶ "공부와 상관없이 넌 소중해."

"이번 중간고사 성적 오르면 여행 가자."
▶ "시험이 끝나면 여행 가자."

"좋은 학교에 들어가면 네가 얼마나 자랑스럽겠니."
▶ "지금도 넌 잘하고 있어."

형제간에 비교해서 하는 말

자아가 강해지는 사춘기 때는 형제간 비교하는 말을 더욱 조심해야 한다. 아이가 괜한 열등감과 무기력을 느끼지 않도록 비교 없이 전달하고자 하는 말만 심플하게 알려준다.

"형이 너만 했을 때는 알아서 했는데."
▶ "하다가 잘 모르겠으면 언제든 물어봐."

"언니만큼만 공부하면 엄마가 소원이 없겠다."
▶ "네가 할 수 있는 만큼 노력하면 돼."

"넌 나이도 많으면서 동생보다 더 신경 쓰게 하니?"
▶ "이제는 엄마 도움 없이 스스로 해봐."

무심한 말

노력을 당연하게 여기는 무심한 말은 아이의 기운을 뺀다. 부모의 노력과 후원이 컸다고 하더라도 아이의 노력과 수고를 먼저 인정해주어야 한다. 부모가 자신을 인정해주지 않는다는 생각이 들면 아이는 노력하기를 멈추게 된다. 만족할 만한 결과 이전에 아이가 노력하는 모습을 인정하고 칭찬해주자.

"그 정도는 기본 아니야?"
▶ "이번에도 잘했구나."

"너라면 그 점수는 받아야지. 다른 애들은 백 점도 받는데."
▶ "고생했어. 다음에는 더 잘할 수 있게 노력해보자."

"책상 정리를 해도 지저분하네."
▶ "잘 정리했어. 물티슈로 먼지만 닦아내면 더 깔끔할 것 같아."

화내지 않고
가르쳐야 한다

한번은 〈십대들의 쪽지〉 홈페이지로 장문의 메일이 한 통 왔다. 메일 제목은 '중2 아들이 담배를 피웁니다'였다. 초등학교 6학년 때부터 사춘기가 시작된 아들이 중학교 2학년이 되자 담배를 피운다는 것인데 어떻게 대처해야 하는지, 그리고 끊게 할 수 있는 방법은 무엇인지 조언을 구한다는 게 대략의 내용이었다.

사연 속 부모는 중학교 2학년생 아들이 저녁마다 바람 쐬러 간다며 나가기에 몰래 따라가보았고, 그날 공원에서 담배 피우는 아이를 목격하게 되었다. 담배를 입에 문 자세가 한두 번 피워본 게 아님을 직감한 순간, 아빠의 화가 폭발했다. 그날 밤 마음을 가라앉힌 아빠가 좋은 말로 아이를 꾸짖었는데 반항심이 가득한 아이는 "이대로 살다 죽겠다!"면서 간섭하지 말라는 태도를 보였다. 아이의 반응에 화가 머리끝까지 난 아빠는

"그럴 거면 나가!"라는 말로 응수했고, 그날 이후 집안은 풍전등화와 같은 운명이 되었다.

누군가에게는 사연 속 아이가 대단한 문제아처럼 느껴지기도 하겠지만, 30년 넘게 수많은 사춘기 부모와 아이를 상담해온 나에겐 이런 갈등 상황이 그리 특별하지 않다. 상황의 심각성을 간과하는 게 아니라 충분히 벌어질 수 있는 일이라는 의미다. 신기한 건, 부모에게 대들고 부정적인 생각을 하며 담배를 피우는 아이도 혼돈의 시간을 잘 겪고 나면, 어느 사이엔가 제자리로 돌아온다는 사실이다.

나는 메일을 보내온 부모에게 약간의 해결 방법과 두 가지를 말씀드렸다. 하나는 '화내지 않고 가르치는 일'이고, 다른 하나는 '기다리는 농부의 마음'이다. 사춘기 아이에게 화내지 않고 가르치는 게 가능하냐고 묻고 싶겠지만 이것은 그래야 하는 '당위'에 가깝다. 더불어 나쁜 습관은 한 번에 교정되는 일은 아니기에 '기다리는 농부의 마음'으로써 위로를 드렸다.

문제 행동에 대처하는 부모의 마음가짐

부모의 가치관이 흔들릴 만큼 용납할 수 없는 실수를 저지른 아이와는 어떻게 대화로 상황을 풀어갈 수 있을까?

이 상황에서 무엇보다 중요한 건, 부모가 아이가 한 실수(잘못한 행동)와 아이의 정체성(여전히 사랑하는 내 딸과 아들이라는)을 구분해야 한다는 점이다. 그래서 아이의 행동 때문에 아이를 미워하거나 아이의 인생을 그 행동 하나를 근거 삼아 평가 절하하지 말아야 한다.

"네가 한 행동은 분명히 잘못됐어. 하지만 그렇다고 그 일 때문에 엄마 아빠가 너를 싫어하거나 미워하는 건 아니야. 넌 여전히 소중한 존재이고, 사랑하는 아들이거든. 벌어진 일을 어떻게 수습하고 해결할 것인가에 대해서는 같이 생각을 나눠보자."

물론 이렇게 차분하게 대화를 시작하기가 쉽지는 않다. 부모는 아이가 저지른 잘못 때문에 마음이 상하고 화가 나서 냉정을 찾기가 쉽지 않고, 아이는 잘못한 일로 자신이 부모에게 거부당할지도 모른다는 불안함을 가지고 있기 때문이다. 특히 아이의 마음속엔 현재의 잘못 때문에 과거에 잘한 일마저 인정받지 못하거나, 앞으로 하고 싶은 일의 기회가 날아갈까 봐 큰 불안감을 느낄 수 있다. 그러므로 부모는 화를 가라앉힌 후에 아이에게 현재의 잘못된 행동이 과거에 잘했던 일이나 미래에 얻게 될 기회와는 무관하다는 것을 알려줘야 한다. 말해주지 않으면 아이들은 모두 다 거부당하고 있다고 생각한다.

"네가 엄마 아빠에게 얼마나 큰 기쁨이 되었는지 알고 있지? 혹여 이 일 때문에 네가 하고 싶은 다른 일까지 못하게 되는 것은 아닌가 걱정하지 않아도 돼. 너에겐 여전히 기회가 있어."

이렇게 자기가 한 잘못에도 불구하고 거부당하거나 평가되지 않고 여전히 사랑받는 존재라고 믿게 되면 잘못된 행동에 대한 부모의 충고나 조언도 들을 마음이 생긴다.

화내면서 말하면 아이가 잘 들을까

어디로 튈지 모르는 사춘기 아이와 대화하다 보면 부모도 소리를 지르고 화낼 수 있다. 그러나 그렇게 했을 때 얻는 것보단 잃는 게 더 많다는 사실을 알아야 한다. 또한 크게 소리친다고 해서 아이가 잘못을 깨닫고 회복하는 속도까지 빨라지지는 않는다.

부모가 화를 낸다는 것은 아이에게 감정적으로 접근하고 있다는 뜻이다. 감정적으로 접근하는 부모를 보며 아이는 자기가 부당하게 취급받고 있다고 생각하기 쉽다. 잘못을 했더라도 화를 내는 부모에게는 일단 방어적인 자세를 취하게 된다. 부모로부터 공격당하고 있다고 생각하기 때문이다. 이런 이유로 무엇을 잘못했는지, 똑같은 실수를 하지 않으려면 다음에 어떻게 해야 하는지 등 부모가 가르치고자 하는 건 받아들이지 않고, 자신이 그렇게 큰 잘못을 저지른 건 아니라는 변명을 준비하게 된다. 또한 화내는 부모를 보며 '우리 부모는 나를 사랑하지 않는다'는 생각으로까지 발전하게 된다.

부모가 화를 내면 아이는 부모의 말을 들으면서 자기 잘못에는 집중하지 않고 부모의 화에만 신경을 쓰게 된다. 부모도 처음엔 아이의 잘못된 말이나 행동에 신경을 쓰면서 말을 했지만 화를 낼수록 자신의 감정에 집중하게 된다. 결국 원하는 것을 말하면서 사실보다는 감정이 실린 화풀이를 더 하게 된다.

그렇게 화가 난무하고 나면 아이와 부모는 서로가 무찌르고 항복시켜야 하는 '적'이 되어버린다. 설명이나 설득, 이해의 장은 사라지고 공격과 반격, 방어와 오해의 말만 계속 주고받게 되니 갈등의 골은 더 깊어진다.

교육적인 측면에서도 부모의 화는 긍정적이지 않다. 부모가 화를 내면서 말을 하면 아이는 화내지 않고 감정이나 생각을 표현하는 방법을 배울 기회를 놓치게 된다. 또한 아이에게 너도 기분이 나쁘면 화를 내면서 말을 하라고 가르치는 셈이 된다. '격렬한 말은 이유가 박약하다는 것을 증명하고 있는 것이다'라는 빅토르 위고의 말을 되새겨봐야 한다.

어떤 부모는 '훈육 차원에서' 혹은 '화를 내서라도 꼭 가르쳐야 할 중요한 것이 있어서'라고 하며 교육적인 확신으로 화를 낸다고 한다.

그런데 정말 그럴까? 꼭 그렇게 화를 내면서 말해야 할 만큼 심각한 일인가? 아이 마음에 상처가 생겨도 상관없을 만큼 급하고 중요한 교육인가? 조용히 마음을 들여다보면, '그렇다'라고 대답하기 어려울 것이다. 아마도 아이에 대한 기대와 불안, 조급함 때문에 화를 내며 말한 경험이 더 많지 않을까.

딱 한 걸음만 물러서서 냉정하게 바라보면 차분히 할 수 있는 말도 부모 마음속에 똬리를 틀고 있는 불안이나 불신이 갑자기 어떤 상황과 만나면 분노 혹은 화로 표출되는 경우가 많다. 이때 튀어나오는 말들은 엔진에 시동이 걸린 것과 같아서 일단 입 밖으로 나오면 쉽게 멈춰지지 않는 특징이 있다.

그러므로 사춘기 아이와 대화 중 화가 날 때는 첫 한마디를 참는 것이 아주 중요하다. 첫 마디를 삼키고 나면 시동을 걸기 위해 통통거리던 엔

진에서 열기가 빠지면서 서서히 식어간다. 한마디를 참는다고 뭐가 달라질까 싶지만 그렇지 않다. 말하지 않으면 화가 났다고 짐작할 수는 있지만 화가 나서 쏟아놓은 말 때문에 상처를 받지는 않는다.

나아가 다음의 몇 가지 사항도 체크해본다.

첫째, 왜 화를 냈는지 생각해본다. 기분이 나쁜 상태에서 아이의 행동이나 말이 촉매제가 되어 화풀이를 한 건지, 아이의 잘못을 이야기하다 보니 화가 난 건지 말이다. 화를 내서 얻고자 했던 것은 무엇인지도 생각해보자. 부모가 이유 없이 화를 내지는 않았을 것이다. 화를 낸 이유를 생각해보는 것은 다음에 비슷한 상황을 만났을 때 다르게 말하고 반응할 수 있는 기회를 준다.

둘째, 언제, 어떤 상황에서 더 쉽게 화를 내게 되는지 스스로 패턴을 찾아본다. 아이가 함부로 말을 하면 화를 내는지, 버릇없는 행동이 나오면 화를 내는지, 동생을 막 대하면 화를 내는지, 정리를 하지 않고 어지럽히면 화를 내는지, 몸이 바쁘고 피곤하면 더 쉽게 화를 내는지, 한두 번 말을 해도 듣지 않으면 나를 무시한다고 생각되어 화를 내는지. 패턴을 알아두면 다음에 그런 상황을 만났을 때 자신의 모드를 바꾸고 주의할 수 있다.

아이를 키우는 일은 비슷한 일이 반복되거나 똑같은 날들이 거듭된다. 그 시간 속에서 아이들은 조금씩 자라고 철들어간다. 그렇기 때문에 부모가 자신의 감정 변화를 민감하게 감지하여 마음의 숨결을 고르는 것은 아이의 나쁜 행동을 바로잡는 것 못지않게 중요하다.

셋째, 자신을 용서하자. 부모가 화를 냈다는 사실에 자책감으로 괴로워하면 아이의 자기 긍정감을 떨어뜨리게 된다. 아이는 부모의 마음에 아주 민감하게 반응한다. 부모도 실수하고 때론 참지 못할 수 있음을 인정하자. '그래, 몸이 피곤하니까 아이에게 참을성이 없었구나. 충분히 좋은 말로 지나갈 수 있었는데…', '아까는 내가 너무 심했어. 앞으로는 그런 상황에서 다르게 말해야지' 하면서 더 나은 날들을 위해 스스로를 용서하고 다독인다.

참지 못하고 화를 쏟아냈다면

부모의 솔직한 사과가 우선이다. 아이에게 화를 내고 소리를 질러서 미안하다고 사과한다. 부모가 아이에게 사과하는 일은 생각보다 쉽지 않다. 특히 화를 낼 만한 잘못을 아이가 저질렀을 경우에는 더욱 그렇다. 그러나 부모의 솔직한 사과는 꼭 필요하다.

"다르게 말할 수 있었는데 화부터 내서 미안해. 엄마가 사과할게."

이후에는 잘못된 행동 때문에 화를 낸 것이지 네가 밉거나 싫어서 화를 낸 것은 아니라고 설명해준다. 아이에게 화를 내는 것과 아이의 행동에 화를 내는 것은 다르다.

더불어 아이가 잠자리에 들기 전에는 꼭 마음을 풀어준다. 부모가 사과를 하고 그 사과를 아이가 받아들였다고 해도 아이 마음은 온전히 풀리지 않았을 수 있다. 아이가 혼이 난 기억을 가지고 잠자리에 드는 것은 좋지 않다. 아이의 편안한 잠을 방해할 뿐 아니라 오늘 일을 내일 다시 말할지도 모른다는 부담을 줄 수 있다. 가급적 그날 일어난 일은 그날로 마무리를 해주는 것이 좋다.

부모의 기분에 따라서 화를 내거나 말이 달라지면 아이는 자신의 잘못을 깨닫기가 어려워진다. 부모의 기분 때문에 듣지 않아도 될 꾸중을 듣고 있다고 생각하기 때문이다. 이런 이유로 화는 '일관성'이 중요하다. 화를 내지 않겠다고 다짐해도 마음처럼 안 된다면 다음의 키워드를 통해 내 안에 화를 일으키는 원인을 알아보자.

의도 | 화를 내는 부모의 마음은 '아이의 교육을 위해서'라고 그 의도가 미화되기 쉽다. 하지만 정말 아이를 위해서인가? 나의 마음이 불쾌해서, 혹은 자신의 말이 무시당했다는 생각 때문은 아닌지 진짜 의도를 생각해본다.

성격 | 화를 내는 것이 조급한 성격 때문일 수도 있다. 한 번 지적한 잘못이 바로 고쳐지지 않을 때 화가 유발된다. 이런 부모의 머릿속에는 먼 미래에도 같은 잘못을 저지르는 아이가 떠오를 것이다. 그러나 앞으로도 계속 그럴지 지금은 알 수 없다.

편견 | 평소 화를 내고 꾸중을 해야 아이가 움직이고 말을 듣는다는 편견을 가지고 있는 것은 아닌지, 아이의 장점보다는 단점을 더 크게 보고 있는 것은 아닌지 돌아본다. 큰소리로 화를 내면서 말해야 아이에게 정확히 전달되는 건 아니다.

꾸짖을 때는 짧게
교정할 내용만 말한다

"알았다고. 다 알아들었다는데 왜 계속 똑같은 말을 해. 짜증나게!"

"아, 뭐래."

"ㅆㅂ! ㅈㄴ."

이는 아이들 사이에서 주고받는 말이 아니다. 잘못을 지적하는 부모에게 아이가 하는 말이다. 이런 말을 내뱉으며 방으로 들어가는 아이를 멈춰 세워 그 행동이 얼마나 잘못되었는지 말할 수 있는 부모가 많지는 않은 게 현실이다. 하지만 감정적인 말투와 거친 행동은 부모가 고치고 훈련시켜야 할 가정교육의 중요한 핵심이다. 모른 척 넘어갈 수 있는 문제가 아니다.

"요즘 안 하던 욕을 하고, 말투도 좀 이상해진 거 아니?"

"내가 언제."

"너희들 사이에선 그런 말투가 자연스러운 건 알겠는데, 그래도 바른 말을 했으면 좋겠어."

"…."

"널 부를 때도 한 번에 대답을 안 하고, 뭔가 퉁명스러운 것 같아. 엄마는 네가 그렇게 말하면 기분이 좀 상하거든. 분명히 좋은 말을 알고 있는데 네 기분대로 말하는 것 같아."

"신경 쓸게요."

"너희들 사이에서 쓰는 거친 말투와 행동이 네가 생각하는 것보다 훨씬 더 나쁘게 보인다는 걸 알았으면 좋겠어. 거칠게 말하고 행동한다고 해서 그 사람이 강해 보이는 건 아니야. 진짜 강한 사람은 겉으로 부드럽지만 속으로는 강한 사람이지."

아이들이 부모를 대할 때 쓰는 말투가 곧 선생님과 사회의 어른들을 대할 때 쓰는 말투가 된다. 그러므로 평소에 바르고 고운 말투와 태도를 몸에 익히도록 가르쳐야 한다.

흥미로운 점은 어른들에게는 안 그러면서 한 살 많은 선배에게는 아이들이 거의 극존칭을 사용한다는 사실이다. 선생님이 와도 자리에서 선뜻 일어서지 않는 아이들이 한 학년 선배가 오면 바로 일어서서 '여기 앉으세요' 하며 자리를 양보한다. 선배보다 더 어른인 부모님과 선생님께 존칭어를 쓰며 바르게 말하는 것이 절대 체면을 구기는 일이 아니라는 걸 알려줘야 한다.

꾸짖을 때는 목적을 잊지 않는다

아이를 꾸짖을 때는 길게 말할 필요가 없다. 잘못한 부분만 단순하고 짧게 말한다. 인격을 공격하는 말은 하지 않는다. 특히 "넌 왜 맨날 그러니?", "넌 항상 그래" 등의 말은 '넌 정말 희망이 없는 아이'라는 식의 인신공격이 될 수 있다. 아이가 '맨날', '늘'이라는 표현을 듣는 순간, '난 아무리 노력해도 부모님께 인정받을 수 없구나' 하고 생각하게 된다.

아이를 꾸짖을 때는 이미 저질러진 일을 어떻게 처리하고 해결할지, 그 일을 통해서 아이가 무엇을 배워야 할지에서 멈추어야 한다. 꾸중이 부모의 화풀이가 되어선 안 된다. 그 일로 아이에게 뭔가를 보여주겠다거나 부모가 얼마나 무서운 존재인지, 네가 얼마나 대책이 없는 아이인지 알려주겠다고 작정해서는 안 된다.

또한 꾸짖고 싶은 점을 구체적으로 정확히 말한다. 예를 들어 식탁에서 다리를 덜덜 떨며 밥을 먹는 아이에게는 "식사할 때는 다리 떨지 말고 바르게 앉아서 먹어" 하고 간단히 말한다. "넌 정신 사납게 왜 다리를 떠니? 복 달아나." 이 말은 식사 중 다리를 떨지 말라는 메시지는 같아도 듣는 사람에게 전혀 다르게 들린다.

첫 번째 말로 꾸중을 들은 아이는 '식사 중에는 다리를 떨지 않는다'는 매너를 배웠다. 다리를 떤 행동으로 자신의 인격이 판단당하지 않았고, 앞으로 그러면 안 된다는 것을 배웠다. 그런데 두 번째 말로 꾸중을 들은 아이는 식사 중 다리를 떤 자신의 행동이 잘못된 것은 배웠으나 '정신 사납다', '복 달아난다' 등의 말로 감정적인 공격을 당했다. 이렇게 되면 아이는 '식사 중에는 다리를 떨지 않는다'는 매너는 체득하지 못하고, 자신을 정신 사납고 복 달아나는 행동을 한 사람으로 규정한 엄마가 미워진다. 따라서 꾸짖을 때는 잘못한 것에 대해서만 정확히 짧게 말하는 게 좋다.

대화를 통해 꾸중하는 법

단순한 실수나 행동이 아니라 학교 폭력처럼 대화가 필요한 꾸중은 어떻게 해야 할까?

아이의 이야기를 듣는 게 우선이지만, 자신이 잘못한 일일수록 아이들은 조개처럼 입을 다물어버린다. 약간의 시간을 주어도 별다른 반응을 보이지 않는다면 부모가 먼저 차분히 대화의 포문을 연다.

"자, 규칙을 보자."

아이가 지켰어야 할 규칙을 간단하게 설명한다. 아이가 규칙을 어겼을 때는 먼저 '어떻게 행동했어야 하는가'를 규칙에 근거해서 말해주는 일이 꼭 필요하다. 그래야 대화가 진행되면서 아이가 억울하다는 생각을 하지 않는다. 규칙을 설명해주는 것은 아이가 지켜야 할 선을 알게 할 뿐 아니라 자신의 행동이 선을 넘었다는 것을 확인해주는 역할을 한다.

"이제 어떻게 된 건지 네가 설명해줄래?"

아이가 자기 입장에서 설명하게 부탁한다. 설명해달라는 말은 "이야기해볼래?", "말해봐" 하는 것보다 상황을 더 객관적으로 말하게 하는 데 도움이 된다. 아이들은 자기가 원하는 상황과 현실을 자주 혼동한다. 말해보라고 하면 "몰라요. 할 말 없어요"로 빠져나갈 수도 있다. '설명해달라'는 부탁의 말은 어떤 판단을 하기 전에 너의 처지나 상황을 너로부터 먼저 듣고 싶다는 제안이 된다.

아이가 자기 상황이나 생각을 충분히 설명하게 한다. 다만, 아이들은 자기의 행동에 '왜?'라는 이유를 설명할 수 없는 경우가 많기 때문에 듣다 보면 행동의 이유가 설명되기도 하고 안 되기도 한다. 어른들의 행동에는 '왜'라는 동기가 중요하지만 아이들의 행동에는 동기나 이유가 없을 수 있다. 설명이 잘되지 않을 때는 '육하원칙'에 근거해서 말할 수 있게 유도한다. 아이 말을 들으면서 반박할 말 등은 생각하지 않는다.

"그래, 그렇구나."

옳고 그름을 떠나서 아이의 말을 일단 그대로 인정해준다. 부모의 눈에 논리의 모순이나 거짓말이 보이더라도 아이의 설명을 그대로 수긍한 후 다음 단계로 넘어가야 한다.

"그럴 때는 이렇게 해야 하지 않을까?"

드러난 상황과 아이가 설명한 상황의 차이를 말해준다. 아이가 놓치고 있는 포인트를 짚어준다. 아이의 잘못을 지적하는 데 만족하는 것이 아니라 아이가 자신의 행동에 대해서 새로운 관점을 가질 수 있도록 보지 못한 것을 보게 해주고, 알면서도 무시했던 것을 다시 깨닫게 한다. 행동 과 관점의 변화를 일으키는 데 목적이 있다. 또한 '부모는 널 도와주는 사 람이다. 널 돕기 위해서 부모가 있다'는 인식을 심어준다.

한 나무 전문가에 의하면, 수백 년 동안 버티고 서서 비바람을 견딘 나무라도 어느 순간 바람에 잔뿌리가 들리고 나면 결국 죽는다고 한다. 태풍에 가지가 부러지거나 꺾이는 것은 시간이 가면 살릴 수 있지만 잔뿌 리가 들리고 나면 영양공급이 안 되기 때문에 멀쩡히 서 있는 나무라고 해도 결코 살릴 수가 없다는 것이다.

아이를 꾸중할 때는 꾸중이 나무의 잔뿌리가 들리는 태풍이 되지 않 도록 조심해야 한다. 꾸중을 잘못하면 부모를 향해 실핏줄처럼 뻗어 있는 믿음의 잔뿌리가 들리는 순간이 될 수 있다. 부모를 신뢰하고 의지하는 잔뿌리가 한 번 들리고 나면 그 믿음을 회복하기 어렵다.

꾸짖고 난 후에 부모가 할 일

꾸중을 들은 아이가 반성하고 행동을 바꿀 것인가, 반발심을 가지고 오히려 더 나쁜 행동을 일삼아 부모를 힘들게 할 것인가는 꾸짖고 난 후에 아이를 어떻게 대하느냐에 달려 있다.

아이들이 잘못했을 때는 대개의 경우 자신도 행동의 결과가 잘못되었다는 것을 안다. 알면서 의도적으로 나쁜 행동을 하는 경우도 있지만, 어쩌다 장난으로 시작한 일이 전혀 엉뚱하게 나쁜 결과를 가져왔을 때에도 아이는 자기의 잘못을 알고 있는 경우가 많다.

그럼에도 꾸중을 듣는 일은 유쾌한 일은 아니다. 자기 행동에 대한 책임은 외면하고 꾸중한 사람에 대한 불만과 원망, 반항심('나만 그런 것은 아니잖아. 그렇게 화를 낼 만큼 큰일인가. 그까짓 일로 너무 혼내는 것 아니야?')을 갖거나, 이 일로 무시당하거나 버림받는 건 아닌가 하는 불안이 있다. 그러므로 꾸짖을 만한 일로 바르게 꾸짖었다고 해도 아이가 느끼는 불안이나 불만은 부모가 생각하는 것보다 훨씬 크고 깊다는 점을 알아야 한다. 꾸짖은 후에 꼭 감정 뒷수습after care을 해야 하는 이유다.

아이는 꾸중을 들었기 때문에 성격이 어지간히 낙천적이고 너그럽지 않은 이상은 아무 일 없었다는 듯이 부모에게 안기거나 웃는 얼굴로 대하기 어렵다. 불만스런 표정으로, 최소한 우울하거나 슬픈 표정으로 있으면서 부모의 눈치를 살필 것이다. 부모가 먼저 다가가서 아이를 안아주면서 '꾸중은 들었지만 넌 변함없이 사랑스럽고 귀한 아이'라는 확신을 줘야 한다. 부모가 아이의 정체성을 확인해주면 꾸중을 들으면서 마음에 꽁하고 맺혔던 서운한 감정이나 불만, 불안이 풀어질 수 있다. 이렇게 아이의 감정을 모른 척하지 않고 다독이기까지 가야 비로소 꾸중이 끝나는 것이다.

아이가 보내는 사인을 제대로 읽고 대처하면 싸울 일도, 꾸중할 일도 줄어든다. 평소와 다른 말을 한다면 말의 행간을 읽고, 숨겨진 의도나 뜻을 찾으려는 노력이 필요하다.

1. 갑자기 부모의 귀가 시간을 묻는 아이의 전화를 가볍게 여기지 말자. 귀가 시간이 궁금한 것은 부모가 알아서는 안 되는 일을 하고 있기 때문이다. 아이들은 부모의 귀가 시간 이전에 많은 금지된 일을 한다.

2. 아이가 '학교가 싫다'고 말할 때는 엄살로 넘기지 말자. 분명히 이유가 있기 때문에 학교가 싫다고 말하는 것이다. 전학을 원한다면 진지하게 이유를 물어보자. 선생님 상담도 필요하다.

3. 아이에게 무엇을 요구할 때는 구체적으로 말하자. 예를 들어 '일찍 들어와'라는 말은 아무 효과가 없다. 밖에서 노는 아이에게는 밤 11시도 이른 시간이 될 수 있다. 차라리 '밤 8시 50분까지 들어와'라고 구체적으로 말하는 것이 아이도 부모도 편하다.

4. 부모에게 설명이 되지 않는 시간과 돈 사용이 없게 하자. 아이가 우물쭈물하거나 기억이 나지 않는다고 둘러대는 것은 경고 알람이 울리고 있는 것이다.

5. 스마트폰의 비밀 번호를 허락하지 말자. 아이의 사생활 보호는 부모가 아니라 부모를 제외한 다른 사람들로부터 해야 하는 것 아닐까. 부모가 알려고 하면 언제든지 아이가 주고받는 문자나 접속하는 사이트 등을 볼 수 있어야 한다. 이것은 참견이나 간섭이 아닌 '보호'라는 것을 알게 한다.

칭찬의 내용을
다양하게 바꾼다

호주 연수 프로그램을 진행하는 중에 부모님께 드리는 상장을 만들어 보자고 했다. 말 그대로 '상장'인 만큼 부모님께 감사하고 칭찬해드리고 싶은 말들을 적어보라고 했는데, 대부분의 아이들이 칭찬과 감사의 말 대신 이것도 힘들고 저것도 싫었다는 불평의 말들을 적었다. 자기의 다짐을 적은 아이들도 있었다. 왜 부모님을 칭찬하는 상장에 자기의 다짐이나 불평을 적었을까?

혹시 평소에 부모로부터 구체적인 칭찬의 말을 많이 듣지 못해서는 아닐까? 아니면 주로 '뭐는 하지 마라. 왜 이렇게 했니?' 하는 말을 들었기 때문에 그런 일을 하지 않겠다는 다짐이 부모를 칭찬하는 일이라고 착각한 건 아닌지 모르겠다.

또 다른 의미에서는 엄마 아빠도 격려가 필요하고 칭찬이 필요한 존재라는 사실을 모르는 건 아닐까 싶기도 하다. 아이들에게 부모는 아이언 맨처럼 어떤 상처나 고통에도 아픔을 모르는 존재로 생각되는 것이다. 그래서 칭찬의 말이 아니라 원하는 바를 더 잘해달라는 부탁의 말이 상장의 내용이 되었을 수 있다.

칭찬은 10대 아이에게 동기 부여가 될 뿐 아니라 좋은 행동을 강화하는 긍정적인 역할을 한다. 그런 의미에서 사춘기 아이에게 칭찬만큼 강한 묘약은 없다. 다만, 어릴 때와는 달리 칭찬이 무조건 효과적이지는 않다. 칭찬에도 요령이 필요하다. 사춘기 아이들은 '부모의 칭찬이 진심일까, 늘 하는 뻔한 소리일까?'를 생각하기 때문이다.

"엄마는 할 말 없으면 꼭 그렇게 말하더라."

이런 소리를 들은 적 있다면 아이가 이미 부모의 칭찬에 식상해 있다는 뜻이다. 더이상 칭찬이 아이를 위로하거나 격려하지 못한다는 뜻이기도 하다. 따라서 칭찬할 때는 상황에 맞춰 매번 다른 식으로 표현해주는 게 좋다. 한마디로 칭찬에도 성의를 보여야 한다.

칭찬이 아이에게 힘이 되기 위해서는 칭찬의 내용이 구체적이어야 하고, 칭찬받을 만한 일이라는 공감이 있어야 한다. 칭찬이 꾸중보다 낫다고 무조건 칭찬을 남발하면 '엄마가 늘 하는 소리'가 되기 쉽다. 그렇다고 칭찬하는 말을 몇 가지 정해 번갈아 사용하라는 뜻은 아니다. 아이에게 관심을 갖고 관찰하다 보면 자연스럽게 어떤 말로 칭찬해야 할지 알게 된다. 중요한 것은 관심이 깃든 마음이지 테크닉이 아니다.

예를 들어 "오늘 참 잘했네" 하는 칭찬보다는 "오늘 책을 보면서 중요한 말을 메모한 건 참 잘했어. 그렇게 메모하는 것은 아주 좋은 습관이야"
라고 구체적으로 칭찬하면 아이는 자신의 행동이 칭찬받을 만한 일이었
다는 걸 알게 되고, 그 일을 더 자주 하고 싶어진다.

"방을 깨끗하게 정리했네. 알아서 잘해줘서 고마워. 네 덕분에 엄마가
30분 정도 혼자 커피 마시면서 쉴 수 있겠다."

칭찬을 할 때는 아이의 행동이 다른 사람에게 미친 긍정적인 영향을
말해서 구체적으로 어떤 도움이 되었는지를 알게 하는 것이 효과적이다.
이 깨달음은 자기 행동에 자부심을 느끼게 한다. 자부심은 아이의 행동을
강화시키는 역할을 한다.

반면, 지저분한 방을 정리해놓은 아이를 보고 "이렇게 잘하면서 그동
안 왜 그렇게 안 치우고 살았니?"라고 한다면 아이에게 이중으로 꾸중을
하는 것이다. 청소한 것을 확실하게 인정받지도 못했을뿐더러 이미 해결
된 문제의 이전 상황까지 상기시켜 꾸중을 들었다고 기억하게 된다. 이런
말은 칭찬이 되지 않는다.

효과적으로 칭찬하는 법

흔히 '꾸중은 혼자 있을 때 하고, 칭찬은 여럿이 있을 때 하라'고 한다.
하지만 모든 사람이 들어야 하는 칭찬이 아니라면 칭찬은 아이 혼자 있을
때 하는 게 좋다. 아빠와 함께 있을 때 아이에게 칭찬을 하면 그 효과가

배가 되지만, 다른 형제와 있을 때 한 아이만 칭찬하면 긍정적인 효과보다는 부정적인 효과가 더 크다. 칭찬받은 아이는 우월감을 느낄 수 있고, 칭찬에서 제외된 다른 형제는 불필요한 소외감과 열등감을 느낄 수 있다. 부모는 단지 공부 잘한 작은아이를 칭찬한 것뿐인데 칭찬받지 못한 큰아이는 스스로를 공부 못하는 아이, 못난 아이로 인식하게 되는 것이다. 이것이 칭찬의 맹점이다.

형제가 함께 있다면 두 아이를 모두 칭찬해준다. 예를 들어 작은아이가 성적이 좋아 칭찬을 했다면 큰아이는 엄마를 도와준 것으로 칭찬한다. 그리고 다음번에는 서로 내용을 바꿔 칭찬한다. 그래야 은연중에 나는 이것을 잘하는 사람, 동생은 이것을 못하는 사람 등으로 평가하지 않는다. 이 역시 칭찬하는 부모들이 놓치기 쉬운 점이다.

아이는 미처 생각하지 못한 일에 대해 구체적인 칭찬을 들으면 마음이 편안해지면서 자신감이 생긴다. '이렇게 행동하면 엄마가 만족하시는구나' 혹은 '아빠를 기쁘게 할 수 있구나' 등을 알게 되기 때문이다. 이처럼 칭찬에 편안해지면 부모가 조금 어려운 요구를 하더라도 일단 도전해보려 한다.

칭찬하는 데 걸리는 시간은 1분도 안 되지만 아이가 느끼는 만족감은 하루를 간다. 그 행복감은 평생 갈 수도 있다. 사소한 행동이라도 칭찬하고 싶은 면이 보인다면 말로 하기도 하고, 안거나 쓰다듬어주기도 하고, 어깨나 손을 잡아주기도 하면서 아낌없이 칭찬해주자. 아이들은 부모가 칭찬하는 그 방향으로 움직여간다.

tip 왜 아이를 칭찬하기가 어려울까?

간혹 칭찬이 좋은 건 알지만 칭찬하기가 어렵다고 말하는 부모를 만난다. "칭찬을 하고 싶어도 칭찬할 거리가 있어야 칭찬을 하죠"라면서 말이다. 이런 생각이 든다면 '모든 아이는 부모로부터 칭찬받을 권리가 있다'는 것을 기억한다. 그리고 자신 안에 숨겨진 아이에 대한 생각과 마음을 깊이 들여다본다.

▶ 아이를 다른 아이와 비교하면 칭찬하기 어렵다. 내 아이는 비교 불가한 유일무이한 존재라는 걸 기억하자.

▶ 부모의 기대에 못 미친다고 생각하면 칭찬하기 어렵다. 이때는 부모의 기대를 낮춰야 한다. 아이는 부모의 수준에 맞추어 자라는 게 아니라 아이에게 내재된 시간과 속도로 성장하는 존재라는 걸 잊지 말자.

▶ 서툰 한 가지만 고쳐주면 완벽한 아이가 된다는 환상 때문이다. 그래서 잘한 것을 칭찬하기보다 못하는 한 가지를 지적하느라 칭찬할 기회를 놓친다. 완벽한 부모가 없는 것처럼 완벽한 아이도 없다.

▶ 아이가 알아서 너무 잘하면 의외로 칭찬에 인색해진다. 아이의 어른스런 행동이나 칭찬받아 마땅한 행동까지 당연하게 여기기 때문이다. 하지만 알아서 잘하는 아이라고 해도 관심과 칭찬이 필요하다.

긍정적인 말로
아이를 믿고 격려하자

시험을 앞둔 아이가 공부는 안 하고 한동안 스마트폰 게임을 하더니 책상에 앉아서도 인터넷을 들락거린다. 그러다 정신이 번쩍 들어 공부 좀 하려고 보니 갑자기 겁이 난다.

"해야 할 게 이렇게 많은데 뭘 한 거지? 정신이 있는 거야 없는 거야?"

아이는 혼잣말을 하면서 부모 앞에서 '어떻게 해야 할지 모르겠다'는 말을 반복한다.

부모는 그런 아이를 보니 답답하다. 한 대 쥐어박고 싶다.

"누가 시험 앞두고 그렇게 하고 싶은 거 다 하고, 놀고 싶은 거 다 노니? 이제는 아예 포기하고 싶지?"

아이는 뾰로통해서 아무 말도 안 하고 자기 방으로 들어간다. 아이는 부모에게 무슨 말이 듣고 싶었던 걸까?

아이가 원한 것은 그런 사실적인 판단이 아니다. '아직 시간이 있으니 지금이라도 시작하라'는 말이다. 꾸중을 들을 줄 알았다면 게임하며 게으름 부린 티를 내지 않고 조용히 공부를 시작했거나 다 포기하고 잠을 잤을 것이다. 희망적이지 않은 상황이지만, 그래도 아이는 부모를 통해 지금 시작해도 괜찮다는 '긍정적인 말'이 듣고 싶었던 것이다.

"미안할 만큼 놀았으니까 지금부터는 초집중해서 공부해. 시험은 공부한 양도 중요하지만 얼마나 집중해서 했느냐도 중요하니까."

부모의 이런 말에 아이는 죄책감을 떨쳐버리고 공부를 시작할 수 있는 힘을 얻게 된다.

긍정적으로 말하자는 것은 모든 상황에서 "잘했어. 그래 네가 맞아. 네가 옳은 거야" 하며 아이를 두둔하라는 뜻이 아니다. '내 속은 답답해 미칠 지경이지만 그래도 긍정적인 말로 칭찬했으니 이제부터는 알아서 잘하겠지' 하며 안심하라는 뜻도 아니다. 아이가 느끼는 불안이나 두려움, 망설임을 인정해주고 괜찮다, 늦지 않았다, 언제든 기회는 있다는 말을 해서 격려해주자는 것이다. 부모에게 들은 부정적인 평가가 머릿속에 입력되면 아이는 그 평가 그대로 자신을 정의 내리기 때문에 그것을 경계하자는 의미다. 부정적인 평가는 예민한 사춘기 아이의 자존감을 떨어뜨리고 마음의 문도 닫게 만든다.

긍정적인 말은 건강한 자아상을 만든다

옷 입고 꾸미는 데 관심이 많은 예은이는 성적이 좋지 않다. 특히 영어와 수학은 바닥권이다. 그런 예은이에게 "우리 딸은 참 남다른 패션 감각이 있어. 그 분야에 계속 관심을 가지면 나중에 특별한 사람이 될 거야"라고 말한다면 아이는 영어, 수학 점수가 바닥이어도 그 점수와 상관없이 패션에 대한 감각과 미래 가능성은 인정받았다고 생각할 것이다. 패션에 대해 더 많이 알고 싶어져 영어 공부를 하게 되거나 그 분야의 전문가가 되기 위해 관련 분야를 더 깊이 파고들 수 있다. 이처럼 즐기는 일이 취미가 되고, 취미가 호기심을 자극해 공부로 이어지면 저절로 전문가의 길로 나아가게 된다.

하지만 많은 부모가 남다른 재능의 싹까지 국영수 점수에 맞춰 잘라버리는 실수를 저지른다.

"멋 내는 데 쏟는 정성만큼 공부하면 서울대도 가겠다."

이 순간 예은이의 '못하는 공부'와 '잘하는 멋부리기'는 다 부정적으로 평가되었다. 부모가 싫어하는 일만 골라 하고 싶은 사춘기 청개구리 심보가 발현되는 순간이다.

부모에게 긍정적인 말을 듣는 아이는 건강한 자아상을 갖게 된다. 그래서 다른 사람의 가시 돋친 말에도 크게 상처받지 않는다. 지금의 나는 현재 진행형일 뿐 '결국 난 이런 사람이 될 것이다'라는 긍정적인 자아상이 굳건하다. 그것은 밖에서 오는 유혹에 흔들리지 않는 뿌리가 된다.

대화는 함께 답을
찾아가는 과정이다

객관식 시험과 사지선다형에 익숙한 아이들은 네 개의 보기 속에 꼭 답이 있어야 하고, 그 한 가지 답 외에는 모두 틀렸다고 생각하기 쉽다. 이런 단순함에 익숙해지면 상황이 조금만 복잡해져도 답을 찾지 못해 혼란스러워한다. 답이 없는데 어떻게 문제를 풀라고 하는 것이냐고 하거나, 내 생각이 답인데 왜 다른 사람의 의견을 생각해야 하느냐는 반응을 보인다.

살면서 우리가 판단하고 결정해야 할 중요한 문제들은 간단하게 예스나 노로 답이 나뉘지 않는다. 학교에서는 정해진 시간, 정해진 교과과정에 맞춰 공통적으로 필요한 지식을 가르치지만, 그렇게 평준화된 지식 너머에 다양성이 존재한다는 점을 알려주는 것은 부모의 역할이다.

대화를 통해 답을 찾아가는 것은, 주어진 상황의 다른 면을 보게 하는 또 다른 교육이다. 또한 아이는 어떤 생각을 하고, 부모는 어떤 생각을 하느지 서로 의견을 나눔으로써 문제를 해결하고 좋은 관계를 만들어갈 수 있다.

'엄마 아빠가 내 문제를 진지하게 고민하시는구나. 나는 내가 좋으면 된다고 단순하게 생각했는데. 내가 좀 이기적이었던 것 같아.'

대화를 통해 아이에게 답을 주는 것보다 이런 깨달음을 주는 것이 더 좋다. 그런 시간을 통해 아이는 힘든 상황을 만나면 부모와 먼저 말하고 싶게 되고, 설령 생각이 달라도 부모를 믿고 따를 수 있게 된다. 부모는 아이가 답을 찾아가는 과정을 도울 수 있다.

비판보다는 방향이 중요하다

부모는 다 잘되라고 하는 소리인데 아이에게는 역효과가 나는 경우가 있다. 아이가 하는 말을 가만히 듣지 못하고 섣불리 비판하는 경우가 그렇다.

"그건 별로라고 했잖아. 너는 왜 하나밖에 모르니?" 하고 아이를 몰아세우는 것은 부모에 대한 거부감과 반항심만 부른다. 따라서 아이가 어떤 생각이나 고민을 털어놓았다면 그에 대해 성급하게 판단하고 꾸짖기보다 부모의 생각을 말하면서 여러 가지를 고려하고 있다는 점을 알려준다.

이때 마지막 결론은 아이 스스로 내도록 하는 게 좋다. 부모는 아이가 문제의 초점에서 벗어나지 않도록 잘 관찰하고, 만약 놓치고 있는 것이 있다면 무엇인지 살짝 알려주는 역할만 하는 것이다.

아이들은 같은 결론이라고 해도 부모가 내주기보다는 스스로 결론을 내리길 원한다. 스스로 답을 찾아냈다는 성취감을 원하기 때문에 그 과정이 조금 힘들어도 자신이 해내겠다는 의지를 갖는다.

"자, 그럼 이 문제에 대해 어떻게 결론을 내리면 좋겠니? 네 생각은 어때?" 하고 아이의 의견을 묻는다. 그러면 아이는 자신의 의견이 부모 생각 못지않게 존중받고 있다고 느낀다. 동시에 나는 부모에게 중요한 존재일 뿐 아니라 나의 문제에 대해 답을 내릴 수 있는 독립적인 존재라는 자기 긍정감을 갖게 된다.

3시간 대화로
문제아를 변화시키다

야구 모자를 이마까지 푹 눌러 써서 눈을 가린 준호는 삐딱한 자세로 앉아 있었다. 부모가 일어나서 인사를 하는데도 엉거주춤히 의자에 걸터앉아 빨대로 '쭉' 소리가 나게 음료수를 빨아 마셨다.

"선생님 오셨는데 일어나서 인사드려야지."

아버지가 재촉하자 못 이기는 척 일어나더니 고개만 까딱한다. 그러더니 눈도 마주치지 않고 그대로 의자에 털썩 주저앉았다.

"아이와 먼저 이야기를 했으면 좋겠는데 괜찮으시겠어요? 3시간은 걸릴 것 같으니까 다른 볼일을 보고 오셔도 됩니다."

"그렇게 오래 걸릴까요?"

"네. 최소한 3시간은 걸릴 거예요."

부모의 얼굴에는 '과연 3시간이나 아이를 데리고 할 이야기가 있을까?' 하는 의구심과 '아이가 3시간이나 짜증을 내지 않고 모르는 사람과 이야기를 할 수 있을까?' 하는 걱정이 은연중에 드러났다.

부모님이 자리를 뜨자 아이는 더 보란듯이 다리를 길게 뻗고 삐딱하게 앉아 계속 소리를 내며 빨대를 빨아댔다. 고개도 이쪽저쪽으로 돌려 목에서 우두둑하는 소리를 냈다. '나 원래 이런 놈이거든요. 어디 할 말 있으면 해보세요. 나도 이런 자리 처음은 아니거든요' 하는 모습이었다. 아이는 보디랭귀지를 통해 센 척하고 있었지만 내 눈에는 오히려 두려움과 불안을 감추려는 듯 보였다.

"키가 정말 크구나. 키가 몇이니? 너희 학교에서 제일 크겠다."

"180이요. 우리 학교에서 나보다 큰 애들이 두 명 더 있어요."

아이는 자신이 앉아 있는 자세나 눈을 가린 모자, 빨대를 빠는 모습 등에 대해 말하지 않는 것을 조금 의아해하는 표정이었다.

"그래, 운동 잘하겠구나? 여학생들한테도 인기가 많을 것 같은데?"

"농구 좀 해요. 학교 배구부 선수이기도 하고요. 축구도 좋아해요."

아이는 고개를 살짝 들고 나와 눈을 마주쳤다. 길게 뻗었던 다리도 슬그머니 끌어당겼다.

"축구나 농구는 키가 크든 작든 다 좋아하는 운동이니까 특별할 게 없지만, 학교 배구부 선수라는 건 대단한데? 운동이 재미있니? 체육 쪽으로 진로를 정한 거야?"

"네, 가능하다면 체육 고등학교에 가서 체육 선생님이 되고 싶어요."

"체육 선생님은 사범대학 체육학과를 가도 돼."

"그래요? 체육 고등학교에 안 가도 돼요?"

아이는 무의식적으로 몸을 앞으로 끌어당겼다. 관심이 생겼다는 뜻이다.

"그렇지. 운동선수가 아니고 체육 선생님이 될 거라면 굳이 체고를 가지 않아도 되지. 체육 고등학교를 가고 싶은데 성적이 안 되는구나? 맞지?"

"가고 싶은 데가 있긴 한데, 전국체전 성적이 없어서 못 가거든요."

"체고는 못 가도 네가 잘하는 일은 많을 텐데. 네가 잘하는 것이나 너의 장점을 한번 적어볼래?"

나는 아이 앞으로 종이를 밀어주며 말했다.

"잘하는 거요? 없는데요."

아이는 다시 몸을 뒤로 젖혔다. 다시 방어 태세를 취하려는 듯했다.

"왜 잘하는 게 없어. 운동도 잘하고 키도 크고 잘생겼고 건강하고…. 그러면 선생님이 적을 테니까 네가 말해볼래?"

나는 종이를 내 쪽으로 끌어당기면서 아이에게 질문했다.

"학교를 가려면 아침 몇 시에 일어나니?"

"6시에서 6시 10분 정도?"

"알람 맞춰서 스스로 일어나니, 아니면 부모님이 깨워서 일어나니?"

"그 시간에 저절로 눈이 떠져요."

"그럼, 넌 일찍 일어나는 아주 좋은 습관을 가지고 있네. 이게 너의 첫 번째 장점이야. '일찍 일어난다.' 두 번째 장점은 너의 외모, 그렇지? 세 번째는 너의 성격으로 가볼까?"

"제 성격이요? 좋은지 모르겠는데요."

"글쎄. 선생님이 보기에는 왠지 의리가 있을 것 같아. 어때?"

"뭐, 그런 말을 듣긴 해요. 남자가 의리는 있어야죠."

이렇게 해서 우리는 열두 가지 장점을 적어나갔다. 이야기를 시작한 지 40분 정도가 지나가고 있었다.

"너도 몰랐지? 이렇게 많은 장점이 있다는 거?"

"네. 한 번도 내가 뭘 잘한다, 생각해본 적이 없는 것 같아요."

"그래도 넌 항상 누군가 너를 특별한 아이로 인정해주기를 바라는 마음이 있잖아. 비록 지금은 성적도 별로이고 문제도 일으키지만 사실은 정말 멋지고 괜찮은 사람이다, 인정받고 싶은 거 아니야?"

"어떻게 아셨어요?"

"네가 나에게 처음 보여준 보디랭귀지를 보고 알았지. 인정받고 싶어하는 아이구나 하고."

"그게 보였어요?"

"조금은. 하지만 신경 쓰지 마. 모든 사람이 다 그렇게 볼 수 있는 건 아니야."

"지금은요? 지금은 제가 어떻게 보여요?"

"평범한 중학교 3학년, 선생님 앞에서 내가 어떻게 보일까 걱정하는. 가끔 네가 뒤를 돌아보는 건 지금 네 모습이 어색해서겠지. 혹시 부모님이 나를 보면 어떻게 생각할까 조금 창피하기도 하지?"

"…."

"목을 돌리면서 소리를 내는 건 네가 강하다는 것을 나에게 보여주고 싶은 거고, 삐딱한 자세도 마찬가지고. 최대한 눈에 거슬리는 행동을 해서 나를 테스트하려는 것처럼 보였어. '이래도 나를 감당할 수 있겠어?' 하는 마음이었지?"

"칫, 그게 다 보였다니."

"자, 이제는 너의 단점을 한번 적어보자."

"그건 너무 많은데."

"많지 않을 수도 있어. 너도 너라는 사람에 대해 알고 싶은 마음이 있잖아. 하나하나 생각해보자. 선생님이 보기에는 조금 욱하는 성격이 있는 것 같아. 욱하면 말이든 행동이든 하고 싶은 대로 다 해야 직성이 풀리는 것 같고."

"네, 약간은."

"가끔 화가 나면 자신이 잘 통제되지 않는다, 이게 첫 번째 단점이 되겠네. 다음으로는 담배를 가끔, 몰래 피우니까 부모님이나 선생님께 거짓말을 할 기회가 있고. 흡연과 거짓말이 두 번째 단점이야. 그리고 부모님으로부터 네가 새벽에 몰래 오토바이를 탄다고 들었는데 그게 세 번째 단점, 오토바이를 타기 위해 다른 사람의 오토바이를 훔치니까 도벽이 네 번째 단점, 친구들에게 폭력을 휘두르는 것은 다섯 번째 단점….”

단점을 적어가다 보니 어느덧 1시간이 훌쩍 지나고 있었다.

아이는 어느 사이엔가 모자를 벗고 바른 자세로 앉아서 양손으로 음료수 컵을 받쳐들고 조심스럽게 빨대를 빨고 있었다.

“제가 뼛속까지 스캔당하는 것 같아요.”

“그래, 가끔 다른 아이들도 그런 말을 해. 하지만 알아야 도울 수 있잖아. 너도 네 모습을 객관적으로 봐야 하고. 선생님이 보기에 넌 굉장히 자부심이 강한 아이야. 그리고 다른 사람 앞에서, 특히 친구들 앞에서 폼이 구겨지는 것은 못 참는 것 같아. 그래서 어디서든 네가 리더가 되어야 해. 문제는 이게 체육시간이나 학교 밖에서는 가능한데 학교 수업시간에는 잘 안 된다는 거지. 그래서 짜증나고 속상하고. 그렇지?”

“네. 공부가 받쳐주어야 하는데 그게 안 되니까 창피해요.”

“초등학교 때까지는 잘했다면서. 학생회장도 했고. 그게 네가 가지고 있는 너의 자아상이야. 부모님도 그런 너를 자랑스러워하시던데?”

“다 옛날 얘기죠.”

“옛날? 겨우 3년 전인데? 넌 아직도 그때의 좋은 면들을 다 가지고 있어. 다만, 현재는 다른 모습들이 더 크게 부각되는 것뿐이야. 네가 돌아가려고만 하면 충분히 예전 모습으로 돌아갈 수 있어. 어떻게 하면 되는지 함께 이야기해볼까?”

준호의 부모님이 가장 걱정하고 불안해하는 점은 늦은 귀가였다. 준호는 앞으로 3주간은 저녁 7시까지 집에 들어가기로 약속했다. 공부를 하지 않더라도 집에 있으면서 부모님을 안심시켜 드리고, 일찍 집에 오는 일에 익숙해지면 밤 11시까지 하루 2시간 정도 공부를 하기로 했다.

나는 문자 메시지로 몇 시까지 무슨 공부를 하다가 몇 시에 잤는지 간단하게 이야기를 나누었다. 누군가 관심을 갖고 지켜본다는 것은 아이들에게 충분한 동기 부여가 된다. 실제로 3주 동안 준호는 딱 한 번만 밤 외출을 했다.

준호의 부모님은 아이의 변화에 60퍼센트 정도 만족했다.

"집에 있는 것은 좋은데, 집에서도 카톡으로 친구들과 수다만 떨고 있어요. 집에 있으나 밖에 있으나 별로 다를 게 없잖아요. 이왕 집에 있는 거 공부만 조금 더 하면 얼마나 좋을까요."

물론 그렇게까지 하면 더 좋겠지만 모든 변화에는 시간이 필요하다. 오토바이와 담배, 폭력까지 휘두르던 아이가 스스로 마음을 다잡는 게 얼마나 대견한가.

준호는 자기자신에게 90퍼센트 이상 만족했다. 나는 110퍼센트라고 칭찬을 해주었다. 3주가 지나자 준호는 아침 운동 시간을 시간표에 추가했다.

대화의 포인트 상처 난 자존심과 자존감 살려주기

중학교 3학년생 준호는 멋진 외모와 강한 자존심을 가진 아이였지만 훈련되지 않은 생활 습관과 성격, 갑자기 나빠진 성적 등으로 자존감이 많이 떨어져 있었다. 상담을 통해 살펴본 준호를 한마디로 요약하면 '친구들 앞에서 창피한 것은 싫어요. 어떤 경우에도 멋있고 싶어요. 그게 나예요'라고 말할 수 있겠다. 이 점을 파악했기 때문에 다친 자존심을 살려줌과 동시에 자존감을 키워주기 위해 해결 방법을 고민해보았다. 핵심은 준호에게 '긍정적인 자아상'을 심어주는 것이었다. 지금도 노력하면 충분히 멋있을 수 있다는 점을 강조해주었다. 그것이 아이 마음을 여는 열쇠가 되었다.

죽고 싶다는 아이의
속마음을 읽어내다

"아이가 아무것도 하고 싶지 않다고 말하거나 심지어 죽고 싶다고 하면 엄마로서 무력감을 느껴요. 공부를 잘하지 않아도 되니까 네가 좋아하는 것을 찾아서 해보라고 해도 학교 가는 모습이 너무 힘들어 보이고, 집에 와서도 방에서 나오지 않아요. 그러다 던지는 한마디가 '그냥 죽고 싶어'예요."

지혜를 만나기 전, 엄마로부터 아이에 대한 이야기를 간단히 들었다. 고등학교 1학년인데 어떤 일에도 흥미를 느끼지 못하고 학교에도 가기 싫어한다고 했다. 부모는 모든 것을 받아주고 이해하려 하는데 아이가 마음을 열지 않아 힘들다고도 했다.

지혜를 직접 만나 보니 모난 부분은 없지만 어색하게 웃는 얼굴에서 자신을 향한 불만과 체념이 묻어났다. 몇 년 전 한 번 만난 적이 있어서 그런지 지혜는 나를 낯설어하지 않았다.

"그동안 많이 컸구나. 숙녀가 다 되었는데?"

지혜가 배시시 웃었다. 엄마와 떨어져 단둘이 마주 앉으니 조금 여유가 생긴 것 같았다.

"고등학교 1학년이면 공부하느라 힘들겠다. 학교는 집에서 가깝니?"

"네. 걸어서 5분이면 가요."

"그래. 그러면 등하교가 힘들지 않겠구나. 학교에서는 뭐가 제일 재미있어?"

"딱히 없어요."

"좋아하는 친구나 선생님 없어?"

"그런 편이에요."

"있다는 뜻일까 없다는 뜻일까?"

"저는 좋은데 그 친구는 어떤지 잘 모르겠어요. 미술 선생님은 좀 그런데, 미술시간은 재밌고요."

"지혜도 엄마처럼 그림 그리는 걸 좋아하는구나. 그런데 친구가 어떤지 모르겠다는 말은 무슨 뜻이야?"

"음. 그 애가 저랑 잘 맞거든요. 중학교도 같이 다녔고, 쉬는 시간이나 점심시간에도 같이 잘 다녀요. 그런데 그 애가 나를 이유 없이 멀리한다는 느낌을 받을 때가 있어요."

"너를 멀리하는 때가 어떤 때일까? 특별히 반복되는 상황이 있니? 예를 들면 네가 좋아하는 미술시간이 있는 날 너를 피한다든가, 아니면 체육시간이 있는 날 너를 피한다든가 하는."

"그런 건 생각해보지 않았는데… 어제는 오후에 체육시간이 있었는데 저와 같이 가기 싫어하는 거예요. 그래서 혼자 갔어요. 모른 척하려면 아예 처음부터 모른 척을 하든가. 사람 갖고 노는 것도 아니고."

"그래. 그러면 기분이 상할 것 같아. 친구에게 같이 안 가는 이유를 물었어? 친구에게도 말하지 못한 이유가 있을 수 있잖아."

"싫어요. 그렇게 묻는 건."

"그렇구나. '네가 가끔 나를 피하는 것 같아서 조금 불편해. 내가 뭔가 잘못한 게 있니?' 하고 네 감정을 말해보는 것도 필요할 것 같은데. 다른 친구들은 어때? 너를 이유 없이 멀리할 때가 있어?"

"가끔요. 저만 보면 인상을 쓰거나 슬슬 피하는 느낌을 받을 때가 있어요."

"그게 그 친구가 너를 멀리하는 날과 연결되니?"

"네, 그런 것 같아요. 생각해보니까 애들이 체육을 하고 들어오면 좀 그런 반응들이었던 것 같아요. 그래서 자존심이 너무 상하고 학교도 가기 싫어요. 그냥 죽고 싶은 생각이 들어요."

"그래서 엄마한테 그런 말을 했구나."

"네. 못된 말이란 건 알아요."

"그래. 엄마가 너를 사랑하는 마음을 알면서 그런 말을 하면 안 되지."

"그래도 짜증나고 답답해요."

"네 마음을 이해해. 학교는 친구들과 함께하는 시간이 중요한데 친구들이 너를 그렇게 대하면 마음이 좋지 않을 것 같아. 지금까지 쭉 들어본 이야기로 선생님이 조금 불편한 질문을 해야 할 것 같은데, 괜찮겠니?"

"네."

"그래, 그럼 한번 생각해보자. 조금 전 친한 친구와 다른 아이들이 너를 피하는 날이 체육시간이 있는 날과 같다고 했잖아. 그렇다면 너를 대하는 아이들의 태도에 공통점이 있다는 말이 되거든."

"그러게요."

"음, 혹시 다른 사람에 비해서 땀을 많이 흘리니? 특히 밖에서 움직일 때 손이나 발에서 땀이 많이 난다고 느낀 적 있어? 그래서 불편했던 경험이 있는지 궁금해."

"다한증이 있어요. 그래서 엄마와 병원에도 갔었어요. 하지만 의사 선생님이 이 정도는 괜찮다고, 정말 심하면 수술로 치료할 수 있으니 걱정하지 말고 자주 씻으라고 했어요. 그래서 정말 자주 씻어요. 하루에 두세 번씩 샤워할 때도 있어요. 그래도 냄새가 나는 걸까요? 그래서 애들이 저를 피하는 걸까요?"

"선생님 생각에는 그게 영향을 주는 것 같아. 너한테 바로 말을 못하니까 조금 거리를 두는 게 아닐까 싶거든. 그러다 다음 날이 되면 예전처럼 너를 대하고. 넌 아이들이 아무 일 없었다는 듯 친하게 구는 게 더 싫기도 하지?"

"네. 다음 날은 언제 그랬나 싶게 대해요. 그래서 더 혼란스럽고 힘들어요."

"나라도 그럴 거야. 땀 냄새 때문에 아이들이 너를 피할지도 모른다면 좀 더 현실적이고 구체적인 방법을 생각해보면 어떨까? 선생님은 두 가지 방법을 추천해줄게. 첫째는 지금 네가 신고 있는 운동화를 체크해보자. 이 신발을 자주 신니?"

"네. 거의 이것만 신어요."

"그 신발을 좋아하는구나. 그런데 선생님 생각에는 그 예쁜 운동화에 약간의 문제가 있는 것 같아. 잠깐 벗어볼래?"

지혜는 머뭇거리다가 신발을 벗었다. 신발을 벗자마자 역한 냄새가 코를 확 덮쳤다.

"이제 신어도 돼. 오늘 엄마랑 신발을 몇 켤레 사면 어떨까 싶어. 이렇게 비싼 운동화 말고 조금 저렴한 걸로. 그리고 신발마다 요일을 정하는 거야. 이 신발은 월요일, 이 신발은 화요일, 이런 식으로. 매일 신발을 바꿔 신고, 안 신는 운동화는 통풍이 잘되는 곳에 두어서 냄새를 없애는 거지. 탈취제를 사용해도 좋겠다. 매일 두세 번씩 샤워를 한다고 해도 냄새가 배어 있는 신발을 신으면 몸에서도 냄새가 나게 되거든. 두 번째는 체취를 없애주는 제품을 알려줄 테니까 사서 날마다 겨드랑이나 발바닥, 손바닥 등에 바르는 거지. 하루에 두 번씩만 발라도 땀이 훨씬 덜 날 거야. 냄새도 줄어들 테고. 그럼 학교생활이 훨씬 편해질 거야."

"냄새 때문에 친구들이 저를 피했을까요? 그렇게 심하다곤 생각을 못했는데…."

"너는 이미 익숙해져 있기 때문에 불편함을 못 느낄 수도 있어. 하지만 이제 해결 방법을 알았으니까 한번 시도해보자."

"네. 정말 그럴 줄은 몰랐어요."

"아무리 친한 친구라고 해도 대놓고 '너한테 냄새가 심하게 나'라는 말은 하기가 쉽지 않을 거야. 선생님 생각에는 그래도 그 친구가 너를 조금이나마 배려하는 마음이 있었기 때문에 상처가 될까 봐 말을 못하지 않았나 싶어. 그러니까 그 친구에 대해 너무 서운한 감정은 갖지 않았으면 해."

지혜가 살짝 미소를 띠었다.

그 후 요일마다 신발을 바꿔 신고 땀 냄새를 억제하는 제품을 사용하면서 지혜의 친구 관계는 조금씩 회복되어갔다. 이제는 하고 싶은 것도 생기고 공부도 열심히 하면서 잘 지내고 있다.

대화의 포인트 아이도 모르는 문제의 원인 찾아내기

아이가 '죽고 싶다', '학교 가기 싫다' 등의 말을 한다면 학교생활이 뭔가 만족스럽지 못하거나 신상에 문제가 생겼다는 뜻이다. 이유 없이 그냥 죽고 싶다고 하거나 학교 가기 싫다고 말하는 경우는 거의 없기 때문이다.

대개는 두 가지 이유로 모아진다. 공부 문제이거나 친구 문제다. 둘 중에서 부모가 특별히 관심 있게 지켜봐야 하는 것은 친구 문제다. 아이가 초등학교에 입학한 이후부터는 아이의 친구에 대해 자주 대화를 나누어야 한다. 친구는 부모가 원하든 원하지 않든 아이에게 깊은 영향을 주기 때문이다. 따라서 관심을 갖고 친구 관계에 별 문제가 없는지 살피도록 한다. 직접 왕따를 당하지 않더라도 주변에 왕따를 당하는 아이가 있다면 내 아이 역시 왕따를 시키거나 당하는 환경에서 지유로울 수 없다는 점도 기억하자.

다행히 지혜의 경우는 왕따를 당하거나 주변에 나쁜 친구들이 있었던 건 아니었다. 대화를 통해 의외의 지점에서 문제의 원인이 있다는 걸 알아냈고, 이를 알려주는 데서 그치지 않고 현실적으로 해결할 수 있는 방법까지 함께 고민해주었다. 이로 인해 지혜는 죽고 싶을 만큼 괴로웠던 문제에서 벗어날 수 있었다. 이후 지혜는 용기를 내어 친한 친구에게 자신의 감정을 전했고, 이를 이해해준 친구 덕분에 행복한 일상을 되찾게 되었다.

PART 5

아이가 보이는
문제별
대화 코칭

사춘기 증상은 아이마다 매우 다양하게 나타난다. 갑자기 보이는 낯선 모습을 이해하고 받아들이기 위해 부모도 노력하지만 쉽지 않은 게 사실이다. 이때는 사소한 행동 하나, 말투 하나에 집중하기보단 그러한 행동과 말을 불러오는 생각을 바꿔주는 게 좋다. 생각을 바꾸어주면 행동과 말이 달라질 수 있다.

폭력적인 행동과
거친 말을 하는 아이

사춘기가 되면 갑자기 말과 행동이 공격적으로 변하는 아이가 있다. 아이의 그런 모습이 영 불안하고 마음에 들지 않지만 뭐라고 말해야 할지 모를 때, 대부분의 부모가 '사춘기니까' 하고 넘어간다. 그렇지 않으면 '눈에는 눈 이에는 이'라는 심정으로 똑같이 되받아치기도 한다.

"못된 놈, 버르장머리 없이!"

"너 방금 뭐라고 했어? 그게 지금 부모한테 할 소리야?"

"그러다 한 대 치겠다. 어디 한번 쳐봐!"

그런데 부모의 이런 대응은 '교육 끝, 싸움 시작' 혹은 '부모 대 아이 끝, 아이 대 아이'가 되는 신호탄이다.

사실 순간적으로 잘못된 행동이나 말이 나오면 아이도 '아차' 하면서 당황하고 후회한다. 하지만 이에 대해 부모가 비꼬거나 분노에 찬 말을 쏟아내면 잘못된 행동이란 걸 알면서도 아이는 바로 방어 태세를 갖춘다. 더 심하고 거친 말로 기선 제압을 하거나 자신이 엎질러놓은 상황을 '내 잘못은 없다'는 식으로 무마하려고 한다.

아이가 절대 하지 말아야 할 욕설이나 폭력적인 행동을 보였다면 부모는 2~3분이라도 호흡을 고르며 침묵하는 편이 낫다. 아이가 '아차!' 하고 정신이 든 후 자신의 행동이나 말을 어떻게 수습할지 고민할 시간을 주는 것이다. 그때 부모는 아이를 판단하는 말 대신 표정이나 태도로 당황스러움과 놀라움, 그러나 이런 행동은 용납되지 않는다는 단호함을 보여준다.

이때 "왜 그러는 거야?" 혹은 "뭐 하는 짓이야?"라고 묻는 건 전혀 도움이 안 된다. 왜냐하면 아이도 갑자기 왜 그랬는지 모르기 때문이다. 아니면 자신을 화나게 한 부모를 탓하며 잘못을 인정하지 않으려 할 수도 있다. 따라서 '왜'라고 묻는 대신 잠깐 침묵한 후 대화를 시도한다.

"엄마는 지금 많이 당황스러워. 무엇이 너를 그렇게 자극했는지 설명을 들어야 할 것 같아. 너에게 잘못 말한 게 있니?"

아이는 침묵하거나 말하기 싫다면서 대화를 피할 수 있다. 그럴 때는 "네가 직접 엄마에게 이유와 상황을 설명해야 해"라며 단호하게 말한다. 상상력이나 이해심을 발휘해서 '너도 그럴 때가 있겠지', '너에게도 뭔가 이유가 있을 거야' 하며 지레짐작하고 물러서는 것만이 부모의 관대함이 아니다. 그것은 곧 그런 행동이 용납된다는 메시지가 되기 때문이다.

그렇다면 여기서 아이와 똑같이 폭력적인 말이나 행동으로 대응한다면 어떤 상황이 벌어질까? 이는 더 심한 폭력을 가르치는 꼴이 된다.

아이가 압력밥솥처럼 수증기를 뿜으며 터질 것 같이 보이면 부모는 냉정하게 몇 분을 기다려주는 게 좋다. 몇 분 후 수증기가 빠지면 힘들이지 않고도 안전하게 뚜껑을 열 수 있다. 수증기가 방출되는 동안 억지로 뚜껑을 열려고 하면 폭발사고가 일어나는 법이다.

잠깐의 침묵은 아이에게도 도움이 된다. 부모가 아이의 폭력적인 행동이나 말에 침착하게 대응하면서 몇 분간 침묵하면 아이는 자신의 행동을 돌아본 후 설명할 준비를 할 수 있다.

단호하게 가르쳐야 탈이 없다

거친 말과 폭력적인 행동을 보였다면 아이의 설명을 들어야 한다. 변명이어도 아이 말을 그대로 듣는다. 그러고 나서 부모의 생각을 말하고 지침을 알려준다.

"그래. 무척 당황스럽지만 네가 그렇게 말하니까 이번은 약속한 대로 믿고 지나갈게. 하지만 다시는 이런 상황이 생기지 않도록 해야 돼. 순간적으로 화가 날 수는 있지만 화를 표현하는 방법에는 여러 가지가 있어. 그걸 네가 알았으면 좋겠어. 화가 날 때마다 욕을 하고 물건을 던지며 살아선 안 되니까."

아이가 마지못해 다신 안 그러겠다고 약속을 하면 그대로 믿고 받아들인다. "약속하고 나서 또 그러면 그때는 어떻게 할 거야?"라며 미리 아이를 못 믿겠다는 듯 의심하지 않는다.

기억해야 할 것은, 이때 부모 중 한 사람이 절대 아이 편을 들어서는 안 된다는 사실이다. 특히 아이와 둘만 있을 때 아이를 이해한다는 말을 해서는 안 된다. 아이의 잘못된 행동을 지적하고 고치는 게 먼저지 부모의 관대함을 보여주는 게 먼저가 아니다.

"너만 할 때는 그럴 수 있다. 사람이 한 번쯤은 욱할 수 있지."

이러한 말은 아이에게 '나중에도 그런 기분이면 또 그래도 된다'는 허용의 메시지로 전달될 수 있다.

"살면서 해서는 안 되는 행동과 말이 있는데, 그게 오늘 네가 보인 행동과 말이야."

이렇게 단호하게 가르친다.

화를 일으키는 원인을 찾아라

어떤 경우에도, 이유 여하를 막론하고 아이가 부모에게 폭력을 휘둘러서는 절대 안 된다는 것을 가르쳐야 한다. 약속을 했는데도 다시 폭력적인 행동이나 말을 반복한다면 그건 이미 익숙해졌다는 뜻이다. 따라서 이때는 부모도 평소 아이 앞에서 비슷한 행동이나 말을 하는 건 아닌지 돌아볼 필요가 있다. 아이들의 폭력은 절대 창의적으로 만들어지지 않는다.

아이의 폭력적인 행동이나 말이 반복된다면 어떤 상황에서 그런 일이 나타나는지 신중히 관찰해본다.

"어떤 말을 들으면 참을 수 없는 분노를 느끼게 되는지 생각해본 적 있어?"

"잘 모르겠어요. 나도 모르게 그래요."

"모든 말에 네가 화가 나는 것은 아니잖아. 분명히 분노를 느낀 순간이 있었을 거야. 어떤 말이나 상황이 너를 건드렸을 거야. 이제부터 한번 생각해봐. 그걸 아는 게 중요해. 그래야 서로 조심할 수 있으니까. 엄마도 생각해볼게."

부모와 아이가 공통적인 상황이나 자극을 찾을 수 없다면 전문가의 도움을 받는 것도 좋겠다.

반복되는 폭언과 행동에는 부모의 적극적인 대응이 있어야 한다. 태풍이 지나간 후 찾아오는 평온함에 익숙해지면 안 된다. 용돈 삭감, 좋아하는 TV 프로그램 시청 금지, 스마트폰 압수, 저녁 몇 시 이후 외출 금지, 정해진 시간에 공부하기 등 벌칙이 있어야 아이도 반성의 시간을 가질 수 있다.

대화를 거부하는
아이

말이 없다면 아이는 침묵을 통해서 자신을 표현하고 있는 것이다. 이런 아이는 "왜 말을 하지 않냐"고 다그치면 마음의 문을 더 굳게 닫을 수 있다.

부모들은 아이가 대화를 거부하면 '나중에 자기가 하고 싶으면 하겠지' 하면서 대화를 포기한다. 그러나 지금 대화를 거부한다면 앞으로도 계속 거부할 확률이 높다. 그러면 관계는 점점 멀어지고 말 붙이기도 점점 힘들어진다. 대화를 했으면 풀렸을 마음의 응어리가 계속 쌓여가는 것이다.

아이가 "됐어요", "내가 알아서 해요", "이제 그만해요", "짜증나", "나도 몰라" 등의 말을 반복한다면 먼저 무엇을 거부하는지 살펴본다. 이야기의 주제를 거부하는지, 대화 상대인 부모를 거부하는지, 아니면 자신과 관련된 이야기 자체를 거부하는지 알아야 상황을 해결할 수 있다.

대화를 하다 보면 아이가 유난히 민감하게 반응하거나 말 자체를 거부하는 경우가 있다. 어떤 주제가 나오면 못 들은 척 다른 이야기로 슬그머니 말을 돌리기도 한다. 그 주제에 대해 말하고 싶지 않다는 사인이다.

"너 왜 갑자기 딴 이야기를 해?" 하면서 피하는 주제를 다시 상기시키는 건 좋지 않다. 그럴 때는 차라리 지금 당장은 방법이 없어도 언젠가는 새로운 길이 열릴 수 있다고 말해주는 게 낫다. '엄마 말처럼 어쩌면 길이 있을지도 몰라' 하며 자신을 다스릴 수 있다.

예전에 한 번 말했는데 부모가 강하게 반대한 일이 있다면 부모와 말이 통하지 않는다고 생각해 대화를 거부할 수도 있다. 이런 경우 "네 생각이 바뀌듯 사람의 생각은 바뀔 수 있어. 그러니까 다시 함께 생각해보자"고 말한다. 지금은 네 생각과 다르지만 앞으로 생각이 바뀔 수 있다고 문을 열어두는 것이다.

중요한 내용을 물어도 "아무것도 아니에요", "네, 괜찮아요", "알았어요" 정도로 간단히 대답을 하고 말문을 닫아버린다면 부모의 생각에 수긍하는 것이 아니다. 귀찮거나 부모에게 말해도 별 도움이 안 된다고 생각해서 대화를 시작하지 않는 것이다. 괜찮아서 괜찮다고 하는 것이 아니라 반은 무시하는 마음으로 그냥 알았다고 말하는 경우가 많다.

때로는 부모와의 대화 자체를 거부하는 경우도 있다. 부모가 묻는 말에 예, 아니오로만 겨우 대답하고 다른 말을 덧붙이지 않는다면 이는 일종의 대화 거부다. 많은 경우 부모에 대한 분노가 원인이거나 부모에게 말해봤자 소용이 없다는 절망적인 포기일 수 있다.

부모의 노력에도 불구하고 아이가 입을 열지 않을 때는 선생님이나 친척 중 가까이 지내면서 대화를 나누는 어른이 있다면 도움을 받는다. 부모에게는 말하지 않는 문제도 믿는 어른에게는 쉽게 털어놓는 것이 10대의 특징이다. 전문 상담가의 도움을 받아서 이야기를 하게 할 수도 있다.

주의할 점은 그들에게 아이와 나눈 대화 내용을 전해 듣고, 그 내용을 근거로 아이를 책망하거나 비꼬는 말을 해서는 안 된다는 것이다.

"넌 엄마한테 하지 않던 말을 다른 사람에겐 잘하더라."

이렇게 반응한다면 아이는 누구와도 이야기하려고 하지 않을 것이다.

"네가 그런 생각을 하고 있는 줄 몰랐어. 엄마 아빠도 너의 자리에서 그 일을 생각해볼게."

이러한 이해와 격려가 담긴 말이 필요하다.

아이가 부모님은 몰랐으면 좋겠다고 하는 말을 전해 들었다면 알아도 모른 척 배려를 한다. 아이를 위한다면 부모는 기다려야 한다.

예민하고 신경질적으로
말하는 아이

"다른 애들은 다 된다는데, 왜 우리 집은 안 되는 거야. 아, 짜증나. 짜증난다고!"

사춘기가 되면 아이들은 쉽게 짜증 섞인 말을 뱉는다. 짜증나는 상황이 먼저인지 짜증나는 말이 먼저인지 분간하기 어려울 정도다.

'짜증난다', '극혐', '재수없다' 등의 말은 더 심한 증오를 표현하는 말로 이어지기 쉽다. 요즘 아이들이 흔히 쓰는 말이라고 해도 가급적 쓰지 않게 주의를 주어야 하는 이유다.

말은 말로 끝나지 않는다. 말은 늘 행동이라는 결과를 가져온다. 말이 생각과 행동 사이를 이어주는 파이프 역할을 하기 때문이다. 말이 거칠어질 때, 말이 분노와 증오를 품고 있을 때, "말은 저렇게 해도 순해요", "말만 저러지, 개미 한 마리 못 죽여요" 하면서 안심하는 것만이 답은 아니다. 독하고 무서운 말이 입 밖으로 나왔다면 생각은 이미 무서운 독에 오염된 상태일 수 있다. 무서운 말이 무서운 행동으로 이어지는 것은 시간문제다.

좋은 말로 표현하는 법을 알려주자

감정기복 심하고 신경질적인 아이에 대해 두뇌 발달이 미성숙한 데에서 오는 사춘기적 특징이라고도 말하지만, 부모의 적절한 언어 코칭이 없었기 때문일 수도 있다.

"다른 말로 원하는 것을 말해봐. 그런 표현은 듣기도 거북하고 다른 사람을 설득하지도 못해."

"나보고 어쩌라고."

"그렇게 계속 짜증난다는 식으로만 말하면 엄마를 설득할 수 없어."

이렇게 말하고 그 자리를 벗어난다. 엄마가 없는 곳에서 화를 내고 짜증을 내봐야 자기에게 돌아올 게 없다는 것을 알게 되면 씩씩거리다가 스스로 화를 참을 수밖에 없다.

'지금 이 자리에서 기어이 말버릇을 고쳐놓고 말 거야' 하고 의지를 불태우지 않아도 된다. 그냥 두면 저절로 꺼지는 불씨도 있다.

아이의 심술과 오기가 풀리면 아이를 불러 짜증 대신 부드러운 말로 자신의 생각과 감정을 표현해야 하는 이유를 설명해준다.

"네 마음대로 되지 않는다고 감정적으로 반응하는 건 좋지 않아. 오히려 그럴수록 이성적으로 말해야지."

"아까는 화가 나서."

"그래, 화가 날 수도 있어. 하지만 그 감정을 바로 폭발시키는 것은 옳지 않아. 표정이나 말투로 강하게 짜증을 내면 들어줄 거라고 생각하는 것도 옳지 않고. 그럴수록 엄마는 기분이 상하거든."

"기분 나빴어요?"

"짜증내는 말을 듣고 싶은 사람은 없어. 다른 사람이 네 이야기를 진지하게 들어주기를 원한다면 짜증내는 말투는 고쳐야 돼."

"짜증나는데 아닌 척하는 것은 더 싫어."

"감정을 절제하는 건 다른 사람에 대한 예의야. 짜증이나 화가 난 상태를 그대로 다 쏟아놓고 '난 적어도 거짓말을 한 건 아니야'라고 말하는 건 이기적이고 유치해. '마음에 안 들면 난 언제든 싸울 거예요' 하는 것 같잖아."

"네."

"사람은 누구나 자신의 생각과 눈앞에서 벌어지는 현상이 다를 때, 자신이 원하는 일이 잘되지 않을 때 짜증이나 화가 날 수 있어. 하지만 표현 방법은 다를 수 있지."

이렇게 말하면서 짜증이나 화를 좋은 말로 표현할 수 있음을 알려준다. 듣기 좋은 말로도 자신의 생각을 충분히 전달할 수 있다는 것도 말한다. 귀에 거슬리는 말투는 그때그때 고쳐준다.

구체적으로 알려주면 나중에 그 말이 하고 싶을 때 부모가 바꿔준 말로 자신의 감정을 표현할 수 있다. 물론 아이가 한 번에 바뀔 거라고 기대하지는 말자. 가르쳐봐야 바뀌지 않는다고 포기해버리는 것은 더 나쁘다. 부모는 그게 무엇이든 아이가 변할 때까지 기다려주고 가르쳐야 할 의무가 있다.

나쁜 습관은 마른 모래에 물을 붓는 것처럼 빨리 흡수하지만, 이미 흡수한 나쁜 습관을 좋은 습관으로 바꾸는 것은 아스팔트에 물을 붓는 것처럼 스며들지 않고 흘러가버린다. 그래도 꾸준히 붓다 보면 틈새로 흘러든 물이 생명을 키운다. 차츰 나쁜 말을 쓰는 횟수가 줄어들면서 아이의 언어가 정화될 수 있다. 그 시간을 기다려주는 사람이 부모다. 기다림은 무기력하고 수동적이어서 조바심이 날 수 있지만, 아이를 믿고 기다리는 것은 부모가 할 수 있는 가장 적극적인 행동이다.

잘못을 인정하지
않는 아이

"평소 책도 많이 읽고 또래에 비해 아는 것도 많아요. 그런데 한번 고집을 부리기 시작하면 어떤 말도 듣지 않아요."

어릴 때부터 아는 게 많고 똑똑해서 부모를 으쓱하게 했던 아이는 사춘기가 되자 대놓고 부모를 무시하는 말을 한다. "그건 엄마보다 내가 더 잘 알아요. 엄마는 모르면 가만히 있어요"라고 하는가 하면, "지금 나를 설득하려고 하는 거죠? 안 넘어가요" 하면서 자기 생각을 굽히지 않는다.

부모가 걱정하는 건 아이가 뭔가 잘못을 했을 때다. 바로잡아주려고 말을 하면 아이는 자기 합리화를 하면서 잘못을 절대 인정하지 않는다.

대개 자기주장이 강한 아이들은 자신의 잘못을 잘 인정하지 않고 다른 사람에게 전가하려는 특징이 있다. 또한 '잘못을 인정하면 지는 것'이라고 생각하는 경향이 있기 때문에 사소한 일에도 '제가 잘못했어요'라고 사과하지 않는다. 자신의 잘못을 다른 친구 탓으로 돌리고, 잘못을 지적 당하면 얼굴 표정과 말투가 달라진다. 아이의 미래를 생각한다면 잘못을 인정하지 않는 점은 반드시 고쳐야 한다.

이런 아이는 과거에 잘못을 인정했다가 부모에게 크게 혼이 났거나 심한 체벌을 받은 경험이 나쁘게 작용했을 수 있다. 사람은 누구나 잘못을 하고, 실수하면서 배운다는 것을 인정받지 못한 것이다. 질투심이 많거나 욕심이 많은 아이일 수도 있다. 부모가 평소 말하는 스타일을 배웠을 가능성도 배제할 수 없다.

반대 의견을 생각하게 한다

잘못을 인정하지 않는 아이는 대놓고 잘못을 지적하는 방법으로는 변화시키기 어렵다. 가장 좋은 방법은 서로 상반된 내용이 담긴 책이나 글을 읽게 하는 것이다. 그리고 나서 아이의 의견을 물어본다.

처음에는 아이가 자기주장대로 이야기를 몰아갈 것이다. 하지만 정반대의 의견에도 나름의 논리가 있다는 것을 알게 되면 자신의 생각이 전부가 아니라는 사실을 받아들이게 된다. 한 번, 두 번 이런 경험이 쌓이면 세상에는 다양한 의견이 존재한다는 것을 인정하게 된다.

그래도 계속 자기 생각만 옳다고 우긴다면 "너의 논리를 반박하고 싶은 사람이라면 어떻게 말을 하겠니? 너의 논리를 반박하는 상대의 입장이 되어 한번 말해볼래?" 하고 물어본다. 다른 입장이 되어 자신이 가진 논리의 허점과 반대 의견을 생각하게 독려하는 것은 이런 성격의 아이에게 좋은 훈련이 된다.

잘못을 사과하지 않는 아이에게 벌을 주고 싶다면 일정한 시간 동안 아이를 혼자 둔다. 아이의 모든 말에 일일이 대꾸하면서 옳고 그름을 따지지 않는다. 이런 아이는 어른이 화내는 걸 보면서 자기가 이겼다고 생각한다. 이럴 때는 오히려 적당히 무관심하게 내버려둔다. 그래야 아이의 고집을 꺾을 수 있다.

꿈이 없다고
말하는 아이

    자신을 부정적으로 바라보거나 자존감이 낮은 아이들은 꿈에 대해 말하는 것 자체를 부담스러워한다. 그럴 때 주로 "꿈이 없는데요", "하고 싶은 거 없어요", "몰라요. 생각 안 해봤어요"라는 말을 한다.

    '꿈이 없다'고 말하는 아이들의 속마음은 대체로 다음과 같다.

    '지금의 내 실력으로 이룰 수 있는 건 아무것도 없어요.'

    '뭘 해야 할지 모르겠어요.'

    '잘하는 게 없어요.'

    '무슨 꿈이에요. 가능성이 있어야 꿈을 꾸죠.'

    꿈이란 보이지 않는 미래를 마음속에 그려보고, 그것을 믿는 것이다. 꿈이 없다고 말하는 아이들은 그 미래를 향해 나아가는 단계를 잘 모르는 경우가 많다. 따라서 꿈이 아이를 움직이는 동력이 될 수 있도록 목표 지점을 실현 가능하고 구체적인 모습으로 말해주면 도움이 된다. 꿈은 특별한 사람만 꾸는 거라고 생각하는 아이라면 평범해도 자신만의 꿈을 이룬 사람들의 이야기를 들려준다. 부모의 어린 시절 꿈에 대해 이야기해주는 것도 좋다.

꿈에 관한 격려는 많을수록 좋다

꿈에 대해 부모는 아이에게 모순된 가치관을 말하기도 한다. "스티브 잡스처럼 창조적인 사람이 되어야 해"라고 하면서 "직업은 공무원이 제일이지. 안정적인 월급과 연금이 있잖아"라고 한다. 초등학교 4학년 현우가 엄마에게 말했다.

"엄마, 난 과학자가 되고 싶어요. 지구온난화의 원인이 탄산가스잖아요. 그런데 소들이 방귀로 내뿜는 탄산가스가 어마어마하대요. 난 소들이 먹어도 방귀를 뀌지 않는 사료를 연구하고 싶어요."

당신이 현우 엄마라면 어떤 반응을 보이겠는가?

"이야, 우리 아들 정말 대단하네. 어떻게 그렇게 구체적이면서도 특별한 꿈을 갖게 되었어? 그래, 넌 해낼 거야. 벌써 너만의 꿈을 가졌잖아."

혹은 이렇게 말하는 부모도 있을 것이다.

"그런 건 이미 개발 중이지 않을까? 근데 과학자 되려면 공부 더 열심히 해야겠네."

아니면 이렇게 말할지도 모른다.

"좀 더 현실적인 꿈을 꿔. 뜬구름 잡는 소리 그만하고."

아이들이 부모에게 꿈을 말할 때는 격려와 칭찬이 듣고 싶은 것이지 가능성이나 현실적인 조언을 기대하는 건 아니다. 그러한 말은 꿈을 향해 나아가는 과정에서 보태어도 된다.

격려의 말도 결과에 근거해 해주는 것이 아니라, 아이가 꿈을 꾼다는 과정 자체에서 가능성을 발견해 독려해주는 것이 바람직하다. 부모의 무조건적인 신뢰를 통해 아이는 건강한 자아를 갖게 되고 꿈을 향해 나아갈 의지를 갖게 된다.

거짓말을 하는
아이

도서관에서 돌아온 민수에게 엄마가 물었다.

"오늘은 무슨 공부했어?"

"다음 주에 있는 수학 쪽지시험 준비했어요."

"그래. 오늘도 성현이랑 같이 갔어?"

"네."

"오후에 쇼핑센터에서 성현이를 본 것 같은데, 잘못 봤나?"

"아닌데. 같이 공부했는데."

민수는 표정 하나 변하지 않고 말했다. 엄마는 속으로 괘씸한 생각이 들었지만 모른 척 다시 물었다.

"민수야, 엄마는 푸드코트에서 성현이랑 이야기도 했어."

"…, 아, 맞다. 성현이가 아니라 태오였다."

"사실 엄마도 오늘 도서관에 갔었어. 다 돌아봐도 네가 없더라."

"잠깐 화장실에 갔겠죠. 도서관에서 하루 종일 앉아만 있나요?"

"그렇긴 하지. 혹시 몰라서 근처 피시방에 가봤더니 거기 있던데. 넌 엄마가 보고 있는 줄도 몰랐어."

"뭐야. 그럼 알면서도 그렇게 물어본 거야?"

"네가 스스로 말해주길 기다린 거야."

민수가 또래 아이들보다 특별히 더 뻔뻔하고 거짓말에 능숙한 건 아니다. 대부분의 10대들은 이런 상황이 되면 버틸 때까지 버티다가 거부할 수 없는 증거가 나오면 거기까지만 어쩔 수 없이 인정한다.

10대의 거짓말은 악의가 있든 없든 사실과 뒤범벅이 되어 있다. 하나의 사실에 근거해서 몇 개의 거짓말을 만들어내기도 한다. 그렇기 때문에 아이의 거짓말에 있어서는 잘못된 믿음부터 깨야 한다.

"우리 애는 거짓말은 안 해요. 어릴 때부터 아주 엄격하게 교육시켰거든요."

이런 믿음은 부모를 안심시키지만 아이의 실상을 못 보게 하는 눈가리개가 될 수도 있다. 100퍼센트 정직한 어른이 없듯 거짓말을 하지 않는 아이도 없다.

부모의 지속적인 관심이 보호막이 된다

아이가 거짓말한다는 걸 알았을 때 부모의 고민은 아이 말을 어디까지 믿을 것인가 하는 믿음의 한계를 정하는 일이 아닐까? 믿자니 빤히 거짓말이 보이고 안 믿자니 아이와 대화가 안 된다.

"엄마, 지금 나 의심하는 거야?"

거짓말이 드러나면 아이들은 일단 부모에게 화살을 돌린다. 이럴 때는 솔직하게 부모의 혼란스러운 마음을 인정하고 설명하는 게 좋다.

"현재의 상황으로는 너를 믿는다, 못 믿는다 말하기 어려울 것 같아. 그래서 너와 대화를 하려고 하는 거야. 지금부터는 네가 솔직하게 말해주었으면 좋겠어."

직감적으로 아이가 거짓말을 한다고 느껴질 때는 일어난 일에 대해 한 번 더 확인한다. 육하원칙에 근거해서 간단히 말할 수 있게 질문을 던져본다. 혹은 "그때 네 주변에 있던 애들은 누구였니? 그 애는 무얼 하고 있었니?" 하고 아이가 미처 생각하지 못한 질문을 하거나, "그때가 몇 시였지?" 하고 구체적인 시점 등을 확인한다. 아이는 자신의 논리를 잊어버려 앞뒤가 다른 말을 하게 되거나 거짓말인 경우 말이 막히기 쉽다. 이후에는 거짓말하는 나쁜 습관을 없애기 위해서 아이에게 어떤 벌칙을 줄 것인지 생각해본다.

거짓말에 대한 벌칙을 만드는 것은 부모의 분노나 당황스러움을 풀기 위해서가 아니라 구체적으로 아이의 나쁜 습관을 없애기 위해서다. 그 목적을 놓치지 않도록 한다. 더불어 사실을 말할 수밖에 없도록 부모가 눈을 부릅뜨고 아이의 생각과 행동을 살핀다. 부모의 지속적인 관심이 아이들에게 접근하는 나쁜 기회를 차단하는 보호막이 된다.

갑자기 자퇴하겠다는
아이

"엄마, 나 자퇴할래."

중학교 3학년 수아는 소파에 가방을 툭 던지며 말했다. 부모가 당연히 'No'라고 대답할 이야기를 한다는 것은 아이가 부모에게 대화를 걸어오는 것이다.

스스로 꿈꾼 미래가 있어 자퇴를 말한다고 해도 단번에 허락하기 쉽지 않은데 그런 이유도 아니라면 이것을 어떻게 받아들여야 할까?

아이는 자신의 문제에 대해 함께 고민해보고 싶은 것이다. 자퇴가 정답이 아니라는 것쯤은 알고 있지만 학교가 죽기보다 싫으니 이 문제를 어떻게 해결하면 좋을지 알려달라는 뜻이다. 그렇지 않으면 부모의 논리를 통해 자기자신을 설득하고 싶은 것일 수도 있다. 그러므로 이제 수아 엄마는 '자퇴'에 대해 길고 긴 대화를 나눌 마음의 준비를 해야 한다.

아이가 놓치고 있는 여러 가지 가능성을 알려준다

"네가 꼭 원한다면 자퇴할 수도 있어. 하지만 그 전에 먼저 고민되거나 도와주었으면 하는 게 있다면 말해볼래?"

"엄마 아빠는 도와줄 것 없어요. 자퇴서에 도장만 찍어주면 돼요."

"도장 찍는 건 어려운 일이 아니야. 다만, 꼭 그래야 하는지 생각해봐야 할 것 같은데."

"충분히 생각했어요. 내가 그렇게 아무 생각 없지는 않아요."

"그래. 진지하게 고민하고 생각했겠지. 그냥 기분이 나빠서 자퇴하겠다고 말하는 건 아니라는 걸 알아. 그래도 몇 가지는 물어야 할 것 같아."

"난 이미 결정했으니까 나를 설득하거나 바꿀 생각은 하지 마세요."

"그래. 그러면 자퇴 후 언제 다시 학교에 돌아갈 거야?"

"학교를 그만두는데 왜 다시 돌아가요? 그럼 처음부터 자퇴를 안 하지."

"그래. 그럼 자퇴하고 무슨 일을 할 생각이야?"

"그건 아직 생각 안 했어요. 일단 자퇴하고 쉬면서 생각할 거예요."

"그래. 아직 생각 안 했구나. 그럼 친구들한테는 언제 말할 거야? 자퇴한 후, 아니면 하기 전에 말할 거야?"

"아직은 몰라. 그게 중요해?"

"네 친구들이잖아. 자퇴하면 매일 못 만나게 될 텐데 갑자기 네가 사라지면 궁금하고 섭섭하지 않을까? 어쩌면 배신감도 느낄 거야."

"됐어. 그건 나중에 내가 알아서 해."

"친구 문제는 네가 알아서 한다고 하자. 그러면 학교 가는 것 대신 뭔가를 배우거나 해야 할 텐데 쉬면서 찾는다는 건 좀 막연해. 또 너를 집에 혼자 두고 출근을 한다는 것도 마음 편하지 않고."

"내가 애도 아닌데 왜?"

"아직 성인이 아니잖아. 너는 학교를 포기한 거니, 아니면 공부를 포기한 거니? 혹시 친구들과 불편한 일이 있는 거야?"

"그냥 자퇴한다는데 뭐가 그렇게 복잡해?"

"중학교 수업은 누구나 받아야 하는 의무교육이야. 네가 포기하고 싶다고 무조건 다 이해하고 받아주긴 어려워. 다른 학교로 전학을 가는 방법도 있고, 유학을 가는 방법도 있고, 아니면 검정고시를 준비할 수도 있잖아. 네 나이에는 무엇이 되었든 배우는 일이 중요하고 모든 일에는 계획과 준비가 필요해. 그런데 그걸 쉬면서 찾겠다는 건 시간만 흘려보낼 가능성이 있기 때문에 바람직하지 않아."

수아 엄마는 아이가 놓치고 있는 여러 가지 상황과 가능성을 풍부하게 말해주었다. 수아는 자신의 말대로 했을 때 만나게 될 시행착오를 들으면서 '자퇴는 생각보다 복잡하고 대책이 필요한 일'이라는 걸 알았다.

자퇴를 선언한 아이에게는 단번에 거절하고 꾸중하기보다 그 문제에 대해 함께 고민하며 이후 벌어질 여러 가지 상황을 알려준다. 이것이 바로 대화를 통해 답을 찾아가는 과정이다. 또한 이미 다 알고 있는 답이라도 마지막 결론은 아이가 스스로 말하게 유도한다.

"자, 그럼 너의 자퇴 문제에 대해 어떻게 결론을 내릴까? 엄마 생각은 충분히 이야기했고 너도 네 생각을 충분히 말했으니 이제 네가 바른 선택을 할 수 있을 것 같은데, 어떻게 하면 좋을까?"

"자퇴는 좀 더 생각해볼게요."

이 정도만 되어도 부모의 말에 공감하고 설득이 된 것이다. 이런 대화를 통해 아이는 자신의 의견이 부모에게 존중받았다는 느낌을 받게 된다. 무슨 일이든 부모와 대화를 나누면 답을 찾을 수 있다는 신뢰와 안정감도 쌓게 된다.

가출하겠다고
말하는 아이

아이가 말버릇처럼 가출하겠다고 하는 건 진짜 집을 나가겠다는 뜻이 아니다. 실제로 가출하는 아이들은 말하지 않고 바로 행동으로 옮긴다.

부모 앞에서 가출하고 싶다고 말하는 아이들은 '나는 어떻게 해야 할지 모르겠으니 좀 도와주세요'라는 구조 요청에 가깝다. '집을 나가고 싶을 만큼 지금의 상황이 답답하고 짜증난다'는 말이기도 하다. 그러므로 아이가 가출하겠다고 말한다면 먼저 아이를 안아주고 답답한 마음을 받아준다.

"그렇게 가출하고 싶은 이유가 있어? 집에 있으면 어떤 점이 불편하고 답답하니?"

"다⋯."

10대는 어느 상황에서든 자기 마음을 인정받으면 일단 호흡 조절이 된다.

"네가 가출한다고 누가 눈 하나 깜짝할 줄 알아?"

"집 나가서 굶어봐야 정신 차리지."

아이를 겁주기 위해 이렇게 맞대응하는 건 도움이 안 된다. 가출하겠
다는 아이를 이미 '가출해버린' 아이처럼 대하며 화를 내는 것도 바람직
하지 않다. 그러면 아이들은 부모에게 배신감을 주기 위해서라도 충동적
으로 가출을 실행에 옮길 수 있다.

아이가 가출에 대해 말한다면 현실적인 질문을 해보자.

"가까운 친구 중에 가출한 친구가 있니? 아니면 가출한 친구들이 살
고 있는 곳에 가본 적이 있니?"

만약 주변에 가출한 친구가 있다면 가출을 실행에 옮길 확률이 높아
진다.

"가출하면 제일 좋은 것은 뭘까? 반대로 제일 불편하거나 나쁜 건 뭘
까?"

아이가 나쁜 것보다 좋은 것이 많을 것이라고 말해도 상처받지 않고
대화를 이어간다.

"네가 가출했다가 돌아오면 무엇이 바뀌어 있기를 바라니?"

이런 질문을 받으면 아이는 속으로 가출했다가 다시 집으로 돌아와도
된다는 점에 안심하게 된다. 이때 엄마 아빠는 너를 위해 변화할 의향이
있으며, 너의 뜻을 존중한다는 메시지를 전달한다. 동시에 아이가 말한
불편한 점을 부모가 받아들이고 개선하려는 노력도 필요하다.

위험한 기회와 상황에 대해 설명한다

가출을 해도 우리는 너를 책임지고 있으며 너의 현실적인 어려움을 해결해줄 마음이 있다는 것을 알릴 필요도 있다.

"가출한다면 먹고 자는 돈은 어떻게 할 거야?"

아이가 머뭇거리며 말을 잇지 못하면 그때 냉정한 현실에 대해 일깨워준다.

"가출해 있는 동안 엄마가 모른 척을 해주길 바라니? 아니면 도와주는 게 좋을까?"

이런 질문은 너를 도와주고 싶지만 억지로 하지는 않겠다, 그러나 도움이 필요하면 언제든지 도움을 요청해도 좋다는 메시지를 전달하기 위함이다. 가출해서 만나게 될 위험한 기회, 노출될 수 있는 상황에 대해서도 진지하게 대화를 나누어보는 게 좋다. 이런 대화를 통해 아이는 가출에 대해 객관적인 판단을 하게 된다.

"그래, 집 나가서 너 하고 싶은 대로 하고 살아."

순간적인 감정을 못 참아 나온 말일 수 있지만 이런 말을 들으면 아이는 '우리 부모는 내가 진짜 사라지기를 바라는구나'라고 잘못 해석하게 된다. 예상치 못한 순간, 아이가 가장 힘들 때, 이 말은 기억의 창고에서 빠져 나와 아이로 하여금 옳지 않은 선택을 하도록 자극할 수도 있다.

사춘기 문제 상담 Q&A

Q1 다정다감하던 딸이 중학교에 입학한 뒤로는 말수가 줄더니 중2가 되고 나서는 아빠 엄마 누구와도 대화가 없습니다. 특별한 사건이 있었던 것도 아닌데, 이 아이는 왜 이런 행동을 보이는 걸까요? 또 엄마인 저는 어떻게 대처해야 할까요?

A 사춘기가 되면 말수가 줄어드는 아이들이 있습니다. 부모와 대화하는 걸 귀찮아하는 아이들도 있지요. 하지만 아이가 그런 이유로 말이 없는 것인지, 아니면 다른 문제 때문은 아닌지 확인이 필요해 보입니다. 먼저 아이에게 물어보세요. '우리 아이도 나처럼 생각할 거야'라고 당연하게 믿고 있던 것도 아이는 다르게 생각할 수 있습니다.

학교에 다녀오면 먼저 "오늘도 힘들었지? 고생했어" 하고 안부를 묻는 말로 아이를 안심시켜주세요. 안부를 묻는 말은 자신의 존재가 아무 조건 없이 온전하게 수용되고 있음을 느끼게 하기 때문에 혹시 모를 긴장감을 풀어줄 수 있습니다. 대화를 할 때는 아이의 말을 끝까지 차분하게 들어주세요. 중간에 말을 가로채서 부모님이 궁금한 것, 하고 싶은 말부터 쏟아내지 않도록 주의합니다. 사춘기 아이와 대화할 때 중요한 점 한 가지는 '감정'입니다. 같은 말을 해도 어떤 감정을 담고 있는지에 따라 아이가 받아들이는 게 달라집니다. 아이를 위해 하는 말이라도 다그치거나 화를 내면 역효과가 날 수 있다는 걸 기억해주세요.

어쩌면 문제가 생각보다 쉽게 풀릴 수도 있습니다. 아이의 주 대화 상대가 부모에서 친구에게로 바뀌어서일 수도 있거든요. 사춘기가 되면 부모보다 친구에게로 대화의 무게중심이 옮겨지게 됩니다. 따라서 아이가 말을 붙여오는 순간까지 기다린다면 지금과 같은 상황에서는 부모님이 한마디도 하지 못한 채 아이의 사춘기가 지나갈 수도 있습니다.

아이가 말을 하지 않아도 부모로서 해야 할 말에 대해서는 시간을 만들어 이야기를 해야 합니다. 말을 걸었다가 마음이 상할까 봐 조심스럽기도 하겠지만, 부모가 말을 멈추면 친구들의 말이 가장 중요한 말이 되어 아이의 가치관을 형성하게 됩니다. 아이가 심드렁한 반응을 보여도 가르칠 것은 꼭 가르치려는 마음이 필요합니다.

Q2 어려서부터 얌전하고 내성적이었던 딸이 초등학교 6학년이 되었는데 여전히 집에서도 학교에서도 소극적이고 말이 없습니다. 1년 후면 중학생이 되는데 너무 말 없고 조용하면 친구도 못 사귀고 왕따라도 당하지 않을까 싶어 걱정이 앞섭니다. 이제부터라도 친구들과 좀 더 적극적이고 원만하게 지냈으면 하는 마음에 집에서부터 대화하는 시간을 늘려보고자 합니다. 이를 통해 아이가 좀 적극적으로 바뀌면 좋겠어요. 아이를 변화시키는 대화 방법이 있을까요?

A 어려서부터 말이 없고 얌전한 아이였다면 현재는 이미 기질이나 성격이 그렇게 형성된 상태일 것입니다. 이것을 부모가 바꾼다는 것은 쉽지 않은 일이고, 또 아이가 그것을 원하는지도 궁금합니다. 아이가 걱정되는 부모님의 마음은 충분히 이해합니다만, 지금까지 무탈하게 자란 아이라면 미리 걱정하실 일은 아니라고 생각됩니다.

오히려 말이 없는 성격을 이렇게 생각해보면 어떨까요. 자기 말을 적게 한다는 것은 대신 남의 말을 들어주는 여유가 있는 성격이라는 장점이 있습니다. 대화는 내가 적극적으로 말하는 것보다 상대의 말을 진심으로 들어주는 것이 중요합니다. 그런 면에서 말수가 적은 아이들은 대화 상대로서 좋은 점을 타고났다고 할 수 있습니다.

아이들은 내 말을 들어주는 친구를 원하지 누군가의 말이 듣고 싶어서 친구가 되는 경우는 없습니다. 부모님의 생각으로는 상대적으로 말수가 적은 내 아이가 다른 아이들에게 무시당하지는 않을까, 자기 생각을 표현하지 못해서 손해 보지는 않을까 염려되겠지만, 이것은 아이를 어떤 관점에서 바라보느냐에 따라 달라질 수 있다고 생각합니다. 한 가지 더 말씀드리면, 따돌림을 당하거나 친구들 사이에서 문제가 되는 것은 말수가 적은 것보다 너무 자기 입장에서만 말을 해서 생기는 경우가 더 많다는 사실입니다. 그러니 너무 걱정하지 마세요.

아이를 한번 관찰해보세요. 말수가 적은 대신 아이가 어떤 방법으로 자신의 생각을 표현하는지 살펴보세요. 아이가 원하는 것을 요구할 때 한 번 말하고 거절하면 물러서는 성격인지, 나중에 다시 조용히 그 요구를 하는 성격인지, 다른 사람이 싫은 소리를 할 때 상처를 받고 혼자 삭이는 성격인지, 쉽게 잊어버리고 원래의 마음 상태로 돌아서는 성격인지 등을 관찰해보는 겁니다. 내면이 강한 아이라면 말수가 적은 것은 큰 문제가 되지 않습니다.

Q3 온 가족이 외식을 하고 기분 좋게 들어온 날이었습니다. 밤 11시가 되어 작은아이를 재우러 방에 들어간 사이, 거실에 있던 초등학교 4학년 아들이 아빠에게 "핸드폰 조금만 하다가 자도 돼?" 하고 물었대요. 아빠가 "잠잘 시간에 무슨 핸드폰이야. 빨리 자"라고 하자 아들은 "아침엔 아침이라고 안 되고 밤엔 밤이라고 안 되고, 그럼 나보고 언제 핸드폰 하란 말이야!"라고 화를 냈고, 아들의 말투에 화가 난 남편은 "아빠한테 말버릇이 그게 뭐야?" 하면서 큰소리를 쳤습니다. 반항심이 생긴 아들은 "아빠면 다야? 아빠 맨날 이 것도 안 된다, 저것도 안 된다, 다 안 된다고만 하면서"라고 불만을 터트렸고, 아이의 말에 욱한 남편이 "주먹만 한 게 어디서 아빠한테!" 하면서 손이 올라가려는 순간, 아이가 아빠를 뿌리치고 112로 전화를 걸었습니다.

정말 순식간에 일어난 일이었어요. "112죠?" 하는 아이의 말에 황급히 거실로 나왔더니, 두 사람은 서로를 노려보며 씩씩대고 있었습니다. 얼마 지나지 않아 경찰 두 명이 집 초인종을 눌렀습니다. 아이는 경찰 앞에선 말을 얼버무리며 더듬거렸고, 자존심이 상할 대로 상한 남편은 어이없는 표정으로 상황을 지켜보고만 있었어요. 경찰은 아이에게 몇 가지 이야기를 하고 돌아갔습니다. '네가 혼자 있는 상황도 아니고 엄마가 함께 계셨고 아빠가 너를 때린 것도 아니고, 네가 아빠에게 함부로 말한 점도 있고, 또 아빠랑 네가 대화로 해결해야 할 부분'이라며 아이를 다독거리고 가셨습니다.

그날 이후 소위 말하는 '멘붕'이 왔습니다. 어디서부터 어떻게 아이를 가르치고, 무엇을 바로잡아야 할지 잘 모르겠습니다. 과연 우리가 경찰에 신고를 당할 만큼 아이를 잘못 키우고 있었을까요? 아니면 우리 아이가 부모를 경찰에 신고할 만큼 인성이 나쁜 아이일까요? 스마트폰 사용 문제는 어떻게 해결하는 게 좋을까요? 머리가 복잡하고 답은 없고, 당장 무엇을 어떻게 가르쳐야 할지 막막합니다.

Ⓐ 꾸중을 듣던 자녀가 훈계하는 부모를 경찰에 신고하는 일은 예전에는 상상도 못했던 일입니다. 하지만 안타깝게도 요즘은 충동적인 사춘기 아이를 키우는 집에서 일어날 수 있는 일이고, 실제로도 일어나고 있습니다. 그러니 너무 심한 자책은 하지 않으셨으면 합니다. 그보다는 사춘기에 접어든 아이를 어떻게 가르쳐야 할지 고민하는 게 더 중요한 일이니까요.

예전에는 집에서 듣는 부모님의 말씀이나 학교에서 듣는 선생님의 훈계로 지켜야 할 것과 세상을 살아갈 지혜를 배웠습니다. 그러나 지금은 그 자리를 스마트폰이 대신하고 있습니다. 스마트폰을 통해 만나는 세상이 부모와 선생님의 자리를 대신하여 모든 것을 가르쳐주고 있습니다. 아이들은 인터넷 속의 검증되지 않은 정보들을 통해 나에게 필요하고 유리한 것들을 배우고 있습니다. 이런 상황에서 스마트폰 사용으로 생기는 갈등은 어느 집이든 다 있다고 봐도 무방하기 때문에 이에 대한 생각을 얘기해보고자 합니다.

부모가 아이 손에서 스마트폰을 빼앗으면 문제가 해결될까요? 그게 답이 아니라는 것은 누구보다 우리가 잘 알고 있습니다. 설령 그게 답이라고 해도 아이 손에서 어떻게 스마트폰을 놓게 할 수 있을까요? 이것은 고양이 입에 물린 생선을 빼앗는 것보다 어려운 일이죠. 스마트폰이 주는 짜릿하고 수동적인 기쁨을 맛본 아이들은 절대 그 맛을 포기하지 않습니다. 더 재미있고 더 빠르고 더 자극적인 정보를 찾아서 헤매게 됩니다. 이런 이유로 저는 아직 아이의 손에 스마트폰이 들려져 있지 않다면 (언젠가 사주게 되더라도) 최대한 그 시간을 늦추는 것이 낫다고 생각합니다.

물론 스마트폰을 사달라고 조르는 아이와 실랑이를 벌이는 것은 쉽지 않은 일입니다. '다른 애들은 다 되는데 왜 나만 안 돼?', '엄마는 너무 고지식해', '스마트폰이 없어서 나만 왕따야' 등등 여러 가지 말로 부모의 마음을 어지럽히니까요. 그러나 스마트폰을 사주기 전에 아이와 벌이는 '밀당'이 임신 중의 힘듦이라면 스마트폰이 들려진 후의 문제는 아이를 낳은 후 키우는 고생과 비슷합니다. 그러니 지금 스마트폰을 두고 하는 밀당이 조금 힘들어도 그것을 계속하는 것이 스마트폰이 생긴 후에 하는 전투보다 훨씬 쉽다는 것을 알아주셨으면 합니다.

스마트폰을 이미 사용 중이라면 어떻게 해야 할까요? 많은 부모님이 스마트폰에 대해서는 애초에 아이들과 싸울 의지를 잃고 맙니다. 아무리 말해도 안 될 일이라고 생각합니다. 그러나 그냥 포기해선 안 됩니다. 절제되지 않는 스마트폰 사용 습관에는 단호히 맞서야 합니다. 이때는 스마트폰을 사용하지 말라는 금지의 말보다는 스마트폰을 들고 있는 시간 자체를 줄일 수 있는 방법을 찾는 것이 좋습니다. 부모의 기분에 따라서가 아니라 정해진 시간 안에서만 사용하게 하고, 이를 지키는 데에는 예외를 두지 않습니다. 강제로 빼앗는 것은 일시적인 효과는 있지만 다시 돌아가는 것은 시간문제입니다. 더구나 강제성을 띠다 보면 다른 면에서 문제가 발생할 수 있습니다. 부모 몰래 스마트폰을 하면서 거짓말을 하거나 못 참겠다고 버티면서 다른 면에서 부모를 힘들게 하는 행동으로 연결될 수 있습니다.

시간제한으로도 해결이 안 된다면, 또 다른 제안이 필요합니다. 일단 아이가 좋아하는 스마트폰을 못하게 하려면 아이가 그것을 포기하고도 괜찮을 만큼의 충분히 매력적인 제안이 있어야 합니다. 긍정적인 면을 강조하면 매력적인 제안이고 부정적인 면을 강조하면 '거부할 수 없는 면'이 있어야 합니다. 영화 <대부>를 보면 어떻게 그 문제를 해결했느냐고 물었을 때 '상대가 거부할 수 없는 오퍼'를 했다는 말을 합니다. 부모의 제안에 아이는 두 가지의 반응 중 하나를 선택해야 성공할 수 있습니다.

'이게 정말 좋고 포기할 수 있을지 잘 모르겠지만, 지금으로선 제안을 받아들이는 것 외엔 다른 선택이 없는 것 같네요.' (거부할 수 없는 부정적인 제안일 때)

'정말 부모님이 말씀하신 대로 된다면 그렇게 해보고 싶어요.' (새로운 자신을 상상할 수 있고, 얻게 될 좋은 결과에 집중한 긍정적인 제안일 때)

아이를 움직이는 효과를 생각해본다면 긍정적인 제안이 훨씬 더 좋은 결과가 나올 확률이 높습니다.

긍정적인 제안은 아이가 그것을 포기하고 다른 선택을 함으로써 얻게 될 더 나은 결과에 대해 초점을 맞춥니다. 그 결과는 지금 모습보다 더 발전된 모습이지요. 아이가 자신의 모습을 구체적으로 상상할 수 있다면 이 제안은 어느 순간 아이를 움직여서 부모를 자유롭게 하고 아이도 자신에게 자부심을 갖게 하는 효과가 있습니다. 예를 들어 어떤 부모님은 스마트폰 대신 좋아하는 운동을 하는 시간을 늘렸더니 몸이 피곤하니까 저녁에 일찍 자고 깊은 잠을 자면서 아이가 스마트폰을 보는 시간이 줄었다고 하셨습니다. 하루이틀 스마트폰이 없는 생활로는 짜증낼 수 있지만, 그것을 견디고 일정한 기간을 보내는 경험을 하고 나면 스마트폰 없이도 재미있게 지낼 수 있다는 것을 알게 되면서 아이들이 적응하게 됩니다.

Q4 중학교에 입학한 딸아이가 친구들과 셀카를 찍었다면서 보여줬는데 조금 당황스러웠습니다. 같이 사진 찍은 친구들이 어딘가 불량스러운 느낌이 났거든요. 저희 아이는 얌전하고 공부도 성실히 하는 쪽이라 혹시나 이상하게 변할까 걱정됩니다. 친구들을 꼬치꼬치 캐묻자니 그건 아이가 싫어할 것 같고, 어떻게 말해야 기분 상하지 않게 친구들을 알아볼 수 있을까요?

A 사춘기 아이에게 나타나는 큰 변화 중 하나는 부모의 말보다 친구들의 말을 더 믿고 중요하게 생각한다는 점입니다. 친구와 보내는 시간이 부모와 보내는 시간보다 많아지면서 부모가 어쩌다 친구에 대해 부정적인 말이라도 하면 마치 자신이 공격받은 것처럼 얼굴을 붉히며 화를 내기도 합니다. 친구는 바로 '자신'이라고 생각하기 때문입니다. 친구가 제일 중요하고 좋은 때가 된 만큼, 좋은 친구란 어떤 친구인지 이야기를 나눠야 하는 시점이 되었습니다.

나쁜 친구에 대해서 이야기를 할 필요는 없습니다. 아이들에겐 '나쁜 친구들'은 없습니다. 아이들은 자신을 괴롭히거나 말이 안 통하는 애는 친구가 아니라고 생각하지 나쁜 친구라고 생각하지 않습니다. 그래서 나쁜 친구랑 어울리지 말라고 하면 '내 친구들은 다 좋은 애들이야' 하고 넘깁니다. '나쁜 친구를 사귀지 말라'는 경고는 의미가 없습니다.

차라리 부모가 말을 바꾸는 게 낫습니다. "엄마는 네 친구의 부모님이 너랑 같이 다니는 것을 알게 된 후에 '다행이다 혹은 잘됐다'고 생각했으면 좋겠어. 그 부모님이 너를 못마땅해 하신다면 걱정되고 마음이 상할 것 같아"

라고 말입니다. 만약 아이가 아무 문제없다고 말한다면 한 단계 더 나아가서 "네 생각엔 어떤 친구가 좋은 친구니?" 하고 물어보시기 바랍니다. 아마도 친구에 대한 여러 가지 말이 나올 것입니다. 만약 나를 보호해주는 친구를 좋은 친구로 생각한다면 아이는 누군가로부터 괴롭힘을 당하고 있을지 모릅니다. 나에게 맛있는 것을 사주는 친구를 좋은 친구라고 생각한다면 다른 아이들보다 용돈을 적게 받고 있거나 친구들에게 불필요하게 부담을 주고 있을 수도 있습니다. 이처럼 아이의 친구에 대한 정의를 들으면서 아이가 놓인 상황을 살펴볼 수 있습니다.

그런 다음, 부모님이 생각하는 좋은 친구란 어떤 친구인지 이야기를 할 수 있겠죠. 예를 들면 "좋은 친구란 네가 어떤 상황에 놓여 있어도 너를 친구로서 인정해주고, 만나면 즐겁고 자존심도 상하지 않는 사람일 것 같아. 만약 네가 피해가도 될 나쁜 기회를 그 친구 때문에 만나게 된다면 그런 친구는 좋은 친구라고 하기 어렵지 않을까?" 정도로 말하면 좋을 듯합니다. 부모의 뜻을 전한 다음에는 "넌 어떻게 생각해?"라고 아이의 생각을 물어주세요. 그러면 아이는 그 질문을 통해 부모님이 자신을 훈계하는 것이 아니라 의견을 묻는 거라고 생각하게 되어 자기 생각을 말하는 데 거부감이 없습니다. 마지막으로 아이의 친구에 대해서는 '네가 먼저 좋은 기회를 주는 친구가 돼라'고 말해주세요. 또 '너를 무시하고 나쁘게 대하는 친구가 있더라도 그 친구가 너를 대하는 방식으로 대하지 말고 늘 너의 위치를 지키라'고 가르쳐주셨으면 합니다.

Q5 중1 아들을 둔 엄마입니다. 학교생활도 잘하고 공부도 꽤 하는 아이인데 어제는 '이성간 풍기문란 행위'라며 벌점이 왔어요. 사귀는 여자아이가 있는데 복도에서 백허그를 몇 번 하여 그렇게 됐다고 했습니다. 그런데 담임선생님에게 들은 내용은 그 정도가 아니었습니다. 생활지도부에서 CCTV를 돌려본 결과 복도에 아이들이 있는 상황에서 여자아이와 키스(선생님 표현으로)하는 장면이 있었다고 합니다. 커플인 애들끼리 모여서 서로가 애정을 과시하는 상황 같다고요. 아이는 뽀뽀한 거고 좋아서 한 거라고, 다른 아이들이 더 좋아해서 한 거라면서 다시는 안 그러겠다고 합니다. 말끝에 자기가 공부를 조금이나마 잘했던 게 후회된다는 말도 했어요. 공부를 못했다면 학교에서 신경도 안 썼을 거라면서요. 저희가 보기엔 자신이 한 행동에 많이 후회하는 것 같지 않습니다. 이 아이를 어떻게 해야 할까요? 선생님들께 안 좋은 이미지로 남았을 테고, 이 일로 인해 아이의 인생에 문제가 생기는 건 아닌지 걱정됩니다. 남편은 한 번 더 믿어주자는데 그게 잘 안 되네요.

A 10대 자녀의 이성교제를 허락하는 부모님들의 생각은 여러 가지입니다. 어차피 부모가 허락하지 않아도 몰래 사귈 것은 뻔하니 차라리 허락해서 알고 있으면 그나마 조심하지 않을까 하는 것입니다. 아니면 시대에 뒤떨어진 꽉 막힌 부모이고 싶지 않아서 마지못해 허락하는 부모님도 많습니다. 걱정이야 되지만 못하게 하면 반발심 생겨서 공부 안 한다고 할까 봐 울며 겨자 먹기로 허락하는 경우도 있지요.

반면에 자녀의 이성교제를 허락하지 않는 부모님들은 어떤 경우일까요?

공부에 방해가 되기도 하고, 지금은 이성을 보는 눈도 없고 자신을 지킬 수 있는 힘도 없으니 이성교제는 대학교 가서 혹은 성인이 되어 해도 늦지 않다고 생각합니다.

아이는 이미 이성교제를 하고 있는 상황이니 무조건 말린다고 해결될 것 같지는 않습니다. 차라리 이성교제를 할 때 지켜야 하는 예의나 넘어서는 안 되는 선을 가르치는 일이 필요해 보입니다. 요즘 아이들의 이성교제는 부모 세대의 이성교제와 차원이 다릅니다. 스마트폰을 들고 있는 남학생들은 '성'에 관한 이야기를 주제로 말을 합니다. 보고 있고, 알고 있기 때문에 이야기도 구체적이고 할 말도 많습니다. 여학생들도 예외는 아닙니다. 상황이 이러하니 이성을 사귀고 진도 나가는 속도가 어른의 걱정 속도보다 빠릅니다. 내 아이는 다를 것이라는 착각, 내 아이는 아닐 것이라는 착각을 깨야 합니다.

아이들에게 이성교제가 얼마나 쉽게 성적인 호기심을 충족시키고자 하는 신체 접촉으로 발전할 수 있는지 말해줄 필요가 있습니다. 부모가 직접 이성교제의 한계와 함정을 가르쳐야 합니다. 이성간의 신체적인 접촉이 주는 짜릿한 기쁨을 먼저 배운 아이들은 공부가 주는 기쁨이나 학창시절의 즐거움을 배울 기회를 놓치게 됩니다. 어쩌면 공부나 미래의 꿈과는 너무 멀리 가게 될 수도 있습니다. 자기자신을 소중하게 생각하고, 이성을 존중할 줄 아는 태도는 아무리 빨리 많이 가르쳐도 지나치지 않습니다.

Q6 중학교 3학년 아들을 키우고 있는 엄마입니다. 아이가 학교에서 담배를 피우다가 걸렸는데 선도위원회를 열어야 하니 학교에 오라는 전화를 받았습니다. 부모로서 자존심도 상하고, 학교에서 돌아온 아이를 어떻게 대해야 하나 막막합니다. 담배를 피우지 말라고 몇 번이나 혼내고 주의를 주기도 했는데 설마 학교에서까지 피울 줄은 몰랐습니다. 어떻게 가르치고 대응해야 할까요?

A 사춘기 아이를 키우다 보면 꼭 담배가 아니더라도 부모가 정한 선을 넘는 경우도 있고, 사회나 학교에서 정해놓은 선을 넘는 경우도 있습니다. 그럴 때 '그러면 안 된다'는 식의 말만으로는 행동 교정이 잘 안 됩니다. 구체적으로 말하고, 함께 방법을 찾아봐야 합니다.

첫째, 흡연은 학생으로서, 청소년으로서 해서는 안 되는 일이라는 것을 지적합니다. 우리가 사는 세상에는 넘지 말아야 할 선이 분명히 있다는 것도 말해줘야 합니다. 둘째, 부모의 심정을 말합니다. 약속을 지키지 않은 점에 대해 실망했다고 말해도 됩니다. 부모의 감정을 표현하지 않으면 아이는 자신의 행동이 부모에게 어떤 영향을 주는지 잘 모를 수도 있습니다. 셋째, 학교에서 담배를 피운 것은 교칙을 어긴 일이며, 그에 대해서는 벌칙을 받아야 한다는 것을 말합니다. 부모님도 당연히 이 점에는 동의해야 합니다. 넷째, 하지 말아야 할 일을 했을 때 치러야 하는 대가와 잃게 되는 신뢰에 대해서 말해줍니다.

이제 남은 것은 아이에 대한 주의 깊은 관심입니다. 선도위원회에 부모가 참석하여 재발 방지를 약속하고 사과를 해서 불이 조기에 진화되었더라도 불씨가 완전히 꺼진 것은 아닙니다. 언제든지 조건이 맞으면 스파크를 일으키며 불이 살아날 수 있다는 점을 기억해야 합니다. 그래서 정기적이고 규칙적인 점검분만 아니라 예리하고 섬세한 관심이 필요합니다.

더불어 부모님이 아이에게 확인해야 할 사항이 몇 가지 있습니다. 이것은 아이가 처한 상황과 주변 환경을 알고자 하는 질문입니다. 담배라는 한 가지 금지된 일이 밝혀졌을 때 아이의 약점이나 친구관계, 성향을 파악해두는 것은 나중을 위해 도움이 됩니다.

1. 담배를 언제 시작했는가?

대개 방학은 담배를 경험하기 좋은 시간입니다. 특히 초등학교 6학년 겨울방학이나 중학교 1학년 방학은 아이들이 금지된 일에 호기심을 갖고 부모 모르게 도전해보는 기회가 됩니다. 이때는 시작이 쉬웠던 만큼 쉽게 멈출 수도 있습니다. 아니면 한 번은 해봤지만 계속 피울 만큼의 담대한 기회는 없었을지 모릅니다.

2. 언제 다시 담배를 피웠는가?

호기심에 시작한 담배를 본격적으로 피우게 된 때를 묻는 질문입니다. 아이들끼리 담배에 대한 이야기를 하다 보면 '나도 피워봤어' 하고 폼을 잡게 되는데, 그러다 '같이 피우자'는 충동으로 연결되어 흡연하게 되는 경우가 있습니다. 이럴 때 친구가 건네는 담배는 거절하기가 어렵기 때문에 피우게 됩니다. 같이 있었던 친구들을 살펴야 합니다.

3. 하루 중 주로 어느 시간에 담배를 피우는가?

담배가 익숙해진 듯한 아이에게 물어야 하는 질문입니다. 주로 '학교 끝나고 애들하고'가 가장 많이 하는 답입니다. 만약 집에 혼자 있을 때, 학원 가다가, 친구들과 만나서, 스트레스 받을 때마다 피운다고 말한다면 아이가 피우는 양이나 중독된 상태를 추정할 수 있습니다. 주로 피우는 담배 이름을 알면 담뱃값과 용돈 사용을 유추할 수 있습니다.

4. 누구와 같이 피우는가?

친구들이랑 만났을 때 피운다고 한다면 같이 다니는 아이들이 담배를 피운다는 뜻이 됩니다. 아이에 따라서는 만나면 담배를 피우는 친구와 담배를 피우지 않고도 잘 노는 친구가 있을 수 있습니다. 혼자서도 피운다면 이미 상당히 피운다는 뜻입니다. 담배를 같이 피우는 친구들은 담배 외에 다른 나쁜 기회를 공유할 수 있습니다.

5. 얼마나 피우는가?

2~3일에 한 개피 정도라고 한다면 부모에게 걸릴 확률이 거의 없고, 실제로는 하루에 한 번 정도는 피운다고 봐야 합니다. 또 학교에서 담배를 피웠다면 밖에서나 집에서는 기회를 만들어서 피운다고 봐도 됩니다. 이런 아이들을 위해 담배 냄새를 사라지게 하는 친절한 약과 스프레이 등이 인터넷 상

에서 공유되고 있는 게 현실입니다.

6. 담뱃값은 어떻게 구하는가?

용돈으로 샀다는 말이 많을 것입니다. 담배를 살 만큼의 용돈을 주고 있지 않은데 피운다면 조금 더 위험할 수 있습니다. 친구들에게 얻어 피울 수도 있지만, 아이들 사이에서도 담배는 채무의식이 확실합니다. 어디서 돈을 마련하는지 알아볼 필요가 있습니다.

7. 어디서 주로 피우는가?

담배를 피우는 장소는 피우는 시간과 연결되어 있습니다. 시간에 따라서 아이가 담배를 피우는 장소는 끊임없이 변합니다. 그 가운데 나쁜 기회로 연결될 만한 장소는 없는지 살펴봅니다.

이러한 질문들을 통해 부모는 아이의 주변 환경과 생활 패턴을 알게 됩니다. 아무것도 모른 채 '이젠 괜찮겠지' 하고 안심하는 것보다 구체적으로 알고 있으면 대처가 달라질 수 있습니다. 아이도 부모가 알고 있으니 조심하게 됩니다. 이제 다시 담배를 피우면 그때는 어떤 대가를 치를 것인지 선택하게 합니다. 부모가 간섭하는 것이 싫다면 스스로 어떻게 할 것인지 물어봅니다.

Q7 초등학교 6학년 아들을 둔 직장맘입니다. 저희 아들은 사교적이고 쾌활한 성격에 주위에 친구도 많고 바른 성격의 아이입니다. 지금껏 학교에서 문제가 있다고 연락을 받아본 적이 없어요. 그런데 사춘기가 되면서 친생친사(친구에 살고 친구에 죽고)가 됐어요. 주말이면 아침 먹고 나가서 5시까지 놀다가 들어옵니다. 오후 5시가 통금시간이거든요. 한번은 친구들과 놀고 싶다면서 학원 스케줄을 자기 맘대로 바꿔도 되냐고 묻기에 '너 혼자 스케줄을 맘대로 바꿔선 안 된다'고 했어요. 밤 시간에 축구를 하려고 했다는데 밤에 돌아다니는 건 사고의 위험이 있어서 안 된다고 했습니다. 또 친구들 집에서 자고 싶어합니다. 몇 번 허락해서 다녀온 적이 있는데, 그럴 때마다 아들은 '친구들은 다 되는데 왜 자기는 안 되는 거냐'고 반문합니다.

얼마 전에는 아들 친구 엄마들과 만났는데 아들과 매우 친한 아이가 집 화장실에서 혼자 핸드폰으로 야동을 보다가 걸렸다고 합니다. 누가 알려줬냐고 하니까 저희 아들을 얘기하더래요. 그 엄마가 저희 아이한테는 말하지 말라고 해서 아직 정식으로 대화를 하진 않았지만, 창피하기도 하고 걱정되기도 하고 복잡한 마음입니다. 어제 저녁에 문득 생각나서 아이에게 "너는 이상한 동영상 같은 거 안 보지?" 하니까 안본다고 해서 "그럼! 우리 아들이 어떤 아들인데. 엄마는 너 믿어" 하고 말았네요. 글이 길어졌습니다만, 제가 궁금한 점은 다음과 같습니다.

1. 친구하고만 있으려는 아이를 어떻게 해야 될지 고민입니다. 이대로 놔둬도 될까요?

2. 야동 본 것을 어떻게 훈육해야 할지 모르겠습니다. 사실 누나인 딸아이도 5, 6학년 때 야동까진 아니지만 약간 이상한 성적인 말들을 주고받는 채팅을 하다가 걸려서 혼난 적이 있거든요. 딸아이는 더 반듯하고 학업성적도 아주 우수합니다. 딸이라 그런지 평상시에 성교육은 조금 편하게 하는 편입니다.

3. 아이가 내가 아는 바른 아이가 아니라 다른 아이들을 물들게 하는 아이라면 어떻게 해야 할까요?

(A) 첫째가 딸이고 둘째가 아들인 경우나 딸이 공부도 잘하고 얌전하게 사춘기를 지나간 경우, 둘째인 아들의 사춘기에 더 놀라는 부모님이 많습니다. 더군다나 지금 고등학생인 아이들이 보낸 초등학교 6학년과 지금 초등학교 6학년은 구석기시대와 철기시대만큼 다르기 때문에 더 낯설게 느껴질 수도 있습니다.

먼저, 초등학교 6학년이면 친구가 인생에서 제일 중요하게 생각되는 시기이기 때문에 '친생친사'는 걱정할 일이 아닙니다. 다만, 아이들은 서로 영향을 주고받습니다. 함께 어울리는 친구들이 어떤 친구들인지 눈여겨보는 일은 필요해 보입니다. 부모는 늘 내 아이가 좋은 친구를 사귀기 바라고, 내 아이가 누군가에게 좋은 친구가 되길 바랍니다. 아이가 누군가의 나쁜 친구가 되길 바라지 않는 부모의 마음을 자주 이야기해주시기 바랍니다.

친구 집에서 자고 오는 것을 허락하는 문제는, 그 친구 집의 부모님이 그날 밤에 아이들을 관리하는지가 관건이라고 봅니다. 아이를 친구 집에 데리고 가서 친구 부모님께 인수인계하고 다음 날 데리고 올 때까지 아이들이 놀고 먹고 자는 시간을 친구 부모님이 다 알고 컨트롤한다면 문제가 없다고 생각합니다. 그러나 그렇지 못하다면 그건 아이에게 부모 모르게 다른 나쁜 일을 경험할 수 있는 기회를 주는 셈이 됩니다. 완전히 잠들어서 누가 업어 가도 모를 정도로 깊은 잠에 빠질 때까지 아이들이 움직이는 것을 살피고 노는 것도 함께 해야 안전합니다.

그다음 야동 문제를 말씀드리겠습니다. 아이가 걱정되고 신경 쓰이시겠지만, '성'적인 것에 호기심을 갖는 것은 6학년 남학생이라면 충분히 보일 수 있는 모습입니다. 특히 야동은 낙도에 사는 아이든, 서울에 사는 아이든 스마트폰을 갖고 있다면 그러한 위험에 똑같이 노출되어 있다고 봐도 무방합니다. 친구들끼리 모여서 스마트폰으로 야동을 보는 일은 초등학교 고학년이면 실행 가능한 일입니다. 누가 가르쳐줘서 하는 일이 아닙니다. 굳이 가르쳐준 대상을 들라고 하면 스마트폰이 가르쳐줬다고 하는 것이 맞습니다. 만약 반대로 아이가 화장실에서 야동을 보다가 들켜서 누가 가르쳐줬냐고 묻는다면 그 들킨 친구의 이름을 말했을 거예요. 이 말은 친구가 아드님 이름을 댔다고 너무 상심하시진 말라는 말씀입니다.

대개 아이들은 자기가 잘못한 현장을 잡히면 누군가에게 그 잘못을 전가해야 하기 때문에 본능적으로 거짓말을 하게 됩니다. 그때 가장 쉬운 대상이 부모도 알고 있는 친한 친구입니다. 꼭 그 친구 때문이 아닙니다. 모르는 아이 이름을 말하면 부모가 더 꼬치꼬치 캐물을 것을 알기에 익숙한 친구의 이름을 말한 것뿐입니다.

야동에 대한 교육은 아버님과 이야기를 해보는 게 좋지 않을까 생각합니다. 덧붙여 한 가지 말씀드리면, '넌 그런 것 안 보지? 난 우리 아들 믿어'라는 말은 아이에게 '난 엄마의 믿음을 저버린 나쁜 아들, 엄마는 나를 모르는 사람, 엄마에게 내 진짜 모습을 들키면 안 된다, 엄마가 내가 야동을 본다는 것을 알면 실망하겠구나, 절대 말하거나 들키면 안 되겠구나' 하는 여러 가지 메시지를 전달한 게 됩니다. 아이는 더욱 자신을 숨기고 움츠리게 되지요. 차라리 '거북하더라도' 야동이 주는 나쁜 점에 대해 이야기하는 게 낫습니다.

첫째는 야동이 가르치는 여성에 대한 잘못된 관점입니다. 여성을 존중해야 할 인간이 아닌 성의 대상으로만 보는 관점입니다. 둘째는 성이 가장 중요하고 전부인 것 같은 착각을 하게 만드는 점에 대해서도 가르쳐야 합니다. 또한 성은 그렇게 대놓고 친구들과 떠벌리듯 이야기하고 즐기는 것이 아니라 책임이 따르는 개인적이고 보호받아야 하는 경험이란 점도 말해줘야 합니다. 앞으로는 그런 사이트에 접속하는 일이 없어야 한다는 것도 말합니다.

아빠가 아이를 데리고 혼자 이야기를 하면 엄마가 알면서도 모른 척하는 경우가 됩니다. 따라서 야동이 주는 나쁜 점은 가족이 함께 있는 자리에서 자연스럽게 이야기를 하는 것이 서로가 서로를 지켜보고 있다는 의식을 주기 때문에 아이에게 거부할 수 있는 힘이 되어줍니다. 간혹 "적당히 봐라"라고 말해주는 부모님이 계신데, 이것은 절대 답이 아닙니다. 이 말은 어른들에겐 교육적으로 들리고 책임을 피해갈 수 있는 좋은 답처럼 느껴지지만 아이들에겐 '들키지 않으면 보고 싶은 만큼 봐도 된다'는 말로 들리기 때문입니다.

　아이들은 야동을 보면 처음에는 놀라지만 곧 더 자극적인 것을 찾게 됩니다. 계속 그 생각에서 벗어나지 못한다는 점이 가장 큰 문제입니다. 그래서 화장실에서 야동을 보는 일이 생기는 것입니다. 이런 충동은 보통 중학교 3학년 정도가 되면 수그러듭니다. 부끄러움에 대한 인식이 생기니까요.

Q8 저희는 맞벌이 부부입니다. 올해 초4가 된 남아와 초2 여아 둘을 키우고 있습니다. 할머니가 양육을 하다가 큰아이가 초등학교에 입학하면서 이사를 와서 돌봄 이모가 봐주시는 등 양육자가 자주 바뀌긴 했어요. 올해 초부터는 제가 퇴근하기 전까지 다시 할머니가 봐주셨습니다. 그런데 큰아이의 학교 상담을 갔더니 선생님께서 아이가 말이 거칠고 매사 의욕이 없으며, 자기가 하고 싶은 말은 참지 않고 한다고 합니다. 또 글씨는 알아볼 수가 없을 정도로 엉망이라 여러 면에서 주의 깊게 보고 있다고 하시더군요. 들어본 적 없는, 상상할 수 없는 면들을 아이가 전부 보여주고 있는 것 같습니다. 책을 좋아하고 자기주장이 강한 편이긴 했지만 그런대로 할 일도 잘하고 수업도 잘 따라가고 있었는데, 이게 갑자기 무슨 일인가 싶습니다.

얼마 전부터는 자기가 생각한 대로 따라주지 않으면 무턱대고 화를 내고, 수업시간에도 몰래 책을 보다 걸려서 규칙대로 압수했더니 '왜 내 책을 뺏어가냐'면서 선생님께 대들었습니다. 어제는 누워서 어린아이들 하듯이 발을 동동 구르고 저를 밀고(남편은 이건 폭력의 시초가 될 수 있다고 단호하게 제지하지 않은 저에게 불만입니다), 심지어 학교도 가고 싶지 않다고 하네요. 학교는 자기 의지에 의해 들어간 게 아니라면서 지금은 집에 있고 싶답니다. 학교 안 가면 뭐 할 거냐고 했더니 집에서 놀겠대요. 지금도 아무것도 안 하고 하루 종일 핸드폰만 하고 있습니다.

정말로 기다려주고 믿어주면 돌아올 수 있는 건지, 아니면 아이 뜻대로 적합한 변화를 모색하는 게 맞는 건지 알고 싶습니다. 이런 상황에서 제가 어디까지 기다리고 다독여서 대화로 해결해야 하는지 정말 모르겠어요. 제가 너무 혼란스러워서 아이한테 상담을 받아보자고 했더니 저한테 정신병자도 아닌데 무슨 소리냐며 벌컥 화를 냅니다.

솔직히 저희 부부가 아이 어릴 때 사이가 좋지 않아서 봐선 안 될 모습이나 안 좋은 경험을 많이 했을 거란 생각이 듭니다. 또 저희의 양육 방식이 문제였다는 생각도 들고요. 하지만 가장 답답한 부분은 이유 없이 학교에 가고 싶지 않다고 하고, 예전엔 약속으로 통제가 되었던 부분들(TV 시청, 핸드폰, 숙제하기, 학원 가기 등)이 이젠 전혀 되지 않는다는 점입니다. 무조건 무시하고 마음대로 합니다. 너무 답답하고 무섭습니다. 주위 사람들은 사춘기가 제대로 온 거라며 무조건 그냥 두라고 하는데, 그래야 할까요?

Ⓐ 부모가 맞벌이를 하느라 주 양육자, 즉 아이를 돌봐주는 사람이 바뀌다 보면 아이는 돌봐주는 사람에 따라서 어떻게 행동해야 하는지 빠르게 파악하는 눈이 생겼을 것입니다. 또 엄마는 직장 때문에 아이를 온전히 돌보지 못하는 점에 대해 늘 미안하고 안타까운 마음이 있기 때문에 아이를 대할 때 평소 생각하는 교육관보다 좀 더 관용적일 때가 많았을 것 같고요. 상황이 이렇다면 아이는 나쁜 습관이나 행동에 대해 제대로 훈련받을 기회가 없었을 것입니다.

엄마의 기분이나 육체적인 피곤함 정도에 따라서 아이의 요구를 들어주거나 제재하는 정도가 달랐을 거라는 점도 무시할 수 없습니다. 직장에서 돌아와 내 몸이 피곤하면 똑같은 아이의 요구가 받아들여지기도 하고 거절되기도 하니까요. 이것은 아이에게 '엄마는 엄마 맘대로 한다'는 생각을 갖게 한 근거가 되었을 것이고, 자신 역시 그렇게 해도 될 거라는 잘못된 생각을 하게 했을 것입니다.

그렇지만 이건 엄마도 사람이기 때문에 어쩔 수 없이 빠지게 되는 함정입니다. 그 점을 아이에게 설명해주셔야 합니다. 왜냐하면 아이가 이젠 그 말을 알아들을 수 있는 나이가 되었으니까요. 창의적이고 자기 생각이 강하다면 부모를 말로 이길 수 있다는 뜻도 되지만 차분히 설득하면 알아들을 수 있는 머리가 있다는 뜻도 됩니다. 무조건 이렇게 해야 한다는 강압적인 말만으로는 아이를 움직이기 어렵습니다. 뭔가 하나를 시키려고 해도 이전보다 훨씬 더 시간이 걸리죠. 대신 자기가 하고 싶은 일은 또 집중해서 하는 힘은 있을 거라고 생각합니다.

아이가 학교에 가지 않겠다고 우기는 점, 자기 생각대로 되지 않으면 무턱대고 화를 내는 점, 학교에서 선생님께 대들었다는 점 등을 보면 4학년이 되어 학교에서 담임선생님이나 친구들과 (부모에게는 말하지 않은) 어떤 갈등이 있지 않을까 생각합니다. 아니면 학교에서 선생님은 크게 생각하지 않지만 아이 입장에서는 자존심 상한 일이 있었을 수도 있습니다. 그래서 갑자기 학교가 싫고, 선생님께 반항적인 태도를 보일 수 있습니다. 학교에서 보인 아이의 태도는 선생님께 들은 것이기 때문에 (물론 선생님께서 객관적으로 말씀하셨겠지만) 아이의 설명도 들어볼 필요가 있습니다. 누구의 잘잘못을 따지기 위해서가 아니라 아이가 왜 갑자기 이런 태도와 반응을 보이는가를 파악하는 데 필요한 일입니다.

아이가 누워서 발을 구르며 떼를 쓴다거나 엄마를 민 행동에 대해서는 아버님의 생각이 맞다고 생각합니다. 어떤 형태로든 부모를 향해서 말이나 태도가 거칠게 나오면 아주 작은 일일 때 잡아주는 것이 좋습니다. 사춘기에는 다 그러니까 너무 잡으면 안 된다고 생각하기도 하는데, 아이는 오히려 더 거칠게 대해도 괜찮다고 생각하게 됩니다. 부모가 암묵적으로 동의했다고 생각하게 되는 거죠.

이제라도 아이와 함께 하나하나 고쳐가고 설득해야 합니다. 어떻게 보면 큰일처럼 막막하지만 사실은 아이도 자기의 답답한 마음을 어떻게 표현해야 할지 몰라서, 조절되지 않는 행동을 어떻게 해야 할지 몰라서 그렇게 한 것일 수 있습니다.

끝으로 부모님의 상한 마음도 말해주셔야 합니다. 무엇보다 엄마가 두려워하고 무서워하면 아이는 그것을 이용합니다. 이젠 강해지셔야 합니다. 아무리 그래도 열한 살 아들입니다.

Q9 이른 나이에 결혼한 후 첫째 딸아이를 낳고 직장생활 때문에 친정 부모님께 맡겨 키웠습니다. 그땐 육아에 대해 너무 아는 게 없었고 바쁘기도 했기 때문에 충분히 같이 있어주지 못했던 것 같습니다. 지금 가장 후회하는 일이기도 합니다. 다섯 살이 되던 해에 직장을 그만두면서 딸을 데려왔고, 둘째를 낳으면서 갈등이 시작되었던 것 같습니다 둘째는 후회 없이 키우려고 애썼는데 그 모습이 딸은 싫었던 모양입니다. 어느 순간부터 불평불만을 늘어놓거나 버릇없는 행동을 하고, 거짓말도 곧잘 합니다. 초등학교 4학년 때 전학을 오고 나면서부터 사춘기가 본격적으로 시작되었는데, 5학년인 지금은 저와 사소한 일로 사사건건 부딪치거나 큰소리를 내며 싸우는 일이 잦아졌습니다.

문제는 저와 싸운 후 화풀이를 동생한테 한다는 점입니다. 동생을 미워하고 때리는 악순환이 반복됩니다. 동생도 지지 않고 같이 싸워요. 엄마가 필요할 때 잘 챙겨주지 못한 게 미안해서 딸의 마음을 이해하려 하지만, 버릇없는 행동과 거짓말을 할 때면 저도 너무 흥분을 해서 화를 내게 됩니다. 지금도 일주일에 한 번은 큰 싸움이 생기는데, 그때마다 딸은 어마어마하게 소리를 질러서 저를 더 자극합니다. 자식한테 이런 대접을 받는 게 너무 자존심 상하고, 한편으론 마음속 상처가 얼마나 크면 저럴까 싶기도 합니다. 어디서부터 어떻게 풀어야 할지 너무너무 어렵고 힘듭니다. 선생님 보시기에 참 답답한 엄마라고 생각하실 수 있겠지만 어떻게 해야 할까요? 무조건 제가 참고 받아주어야 하는 걸까요? 저도 어느 순간부터 너무 화를 잘 내는 사람이 되어버린 것 같습니다. 선생님 말씀, 간절히 듣고 싶습니다.

(A) 직장생활 때문에 어린아이를 떼어놓을 수밖에 없었던 엄마들은 아이에게 늘 미안한 마음을 가지고 있습니다. 그래서 아이가 어떤 문제를 보이면 내가 아이를 제대로 돌보지 못해서 그런 게 아닐까 하는 자책감에 힘들어하기도 합니다. 하지만 그건 이미 지나간 시간이고, 그땐 그게 최선의 선택이었다는 것을 알고 계실 겁니다. 지금 똑같은 상황이 된다고 해도 같은 선택을 할 수도 있습니다. 아이를 엄마가 다 돌보지 않는 가정도 많으니, 아이에 대한 후회와 자책감은 조금 내려놓으시면 어떨까 싶습니다.

다만, 아이에게 화를 내면서 말하는 것은 이제 조절을 하셔야 합니다. 화를 내면서 말한다고 아이가 더 빨리 알아듣는 것도 아닐뿐더러 오히려 반발심을 불러올 수 있습니다.

첫째 아이 마음속에는 서운함이 있는 듯합니다. 그 서운함이 사춘기 반항심과 맞물려 자꾸 이상하게 표출되는 것 같아요. 일단은 아이 마음을 먼저 읽어주는 시간을 갖는 게 필요할 것 같습니다.

아무리 신경 쓴다고 해도 부모의 손길은 아무래도 첫째보다는 어린 둘째에게 더 많이 갑니다. 그 모습을 보면서 첫째는 자신에게 오던 사랑을 둘째가 빼앗아갔다고 느끼게 됩니다. 그러니 질투하게 되고, "엄마는 동생만 예뻐해" 하며 불평하게 되죠. 자랄 때 부모의 손길을 제대로 받지 못한 아이라면 질투하는 마음이 더 클 수도 있습니다.

그렇다고 해도 동생한테 화풀이를 하거나 때리는 행동은 좀 더 냉정하게 지켜볼 필요가 있습니다. 자라면서 아이들끼리 싸울 순 있지만 항상 그런 것은 아닐 거예요. 잘 관찰하면 언제, 주로 무엇을 가지고 싸우는지 알 수 있습니다. 첫째가 기분이 나빠서 동생을 괴롭히는 지, 아니면 동생이 귀찮게 할 때 첫째가 괴롭히는지 등 이런 상황만 발견해도 아이들을 다루기가 쉬워질 것입니다. 어떤 경우에도 사람을 때리거나 폭력을 쓰는 행동은 안 된다는 걸 꼭 알려주셔야 합니다.

부모님이 첫째에게 동생과 관련해서 이야기를 할 때, 혹시 꾸중을 할 때만 동생과 연결 지어 이야기하는 것은 아닌지도 한번 살펴보세요. 동생을 잘 챙기고 사이좋게 노는 건 당연하게 생각해 칭찬하지 않다가 동생을 때리거나 울릴 때만 아는 척을 하고 혼을 낸다면 첫째에게 동생은 나를 혼나게 하는 존재, 꾸중을 듣게 하는 존재라는 생각을 하게 만들 수 있습니다. 역으로 생각하면 동생을 잘 챙겨줄 때, 동생을 잘 데리고 놀 때 첫째를 칭찬해주면 그 칭찬 때문에 동생에게 더 많은 관심을 줄 수 있습니다. 첫째는 어떤 경우에도 동생을 지켜주는 존재라는 말을 해줘야 합니다. 물론 아이들은 싫다고 말하기도 하고 듣는 척도 안 할 수 있지만, 그 말을 반복해 들으면 정말 도움이 필요한 순간에 동생을 지켜줘야 한다는 생각을 하게 됩니다. 부모는 아이에게 필요한 말을 지치지 말고 꾸준히 해줘야 합니다.

부모에게 하는 잦은 거짓말은 여러 가지 복잡한 상황이 있을 수 있습니다. 아이들의 거짓말은 어른의 거짓말보다 훨씬 다양하고 복잡합니다. 어른들은 대부분 계산이 가능한 상황에서 거짓말을 합니다. 다시 말하면 거짓말을 해야 할 이유가 있는 거죠. 그런데 아이들은 거짓말을 해야 할 이유가 없을 때도 진심으로 거짓말을 합니다. 그래서 아이들의 거짓말을 찾기가 더 어렵습니다. 부모님이 아이가 거짓말을 하는 것을 인식할 정도라면 많은 부분에서 거짓말을 하지 않았을까 생각됩니다. 한두 가지 거짓말로는 부모님이 잘 모르고 넘어가는 경우가 대부분이거든요. 거짓말을 하는 아이들의 심리는 딱 꼬집어 '이것'이라고 말하기 어렵습니다. 상황마다, 아이마다 다르기 때문입니다. 그러나 공통적인 상황으로 생각해보면 다음과 같습니다.

1. 부모가 지나치게 엄격하면 아이가 거짓말을 합니다.

작은 잘못에도 심하게 아이를 나무라거나 누가 봐도 엄격한 부모 밑에서는 아이가 더 쉽게 거짓말을 하는 것 같습니다. 어른들의 생각과는 다르죠. 사실대로 말하면 부모에게 혼난다는 것을 알기 때문에 자기 보호 차원의 본능이 발동한다고 볼 수 있습니다.

2. 부모가 아이의 생활을 꼼꼼하게 확인하지 않으면 거짓말을 합니다.

요구하는 것은 많은데 부모가 그것을 다 확인하지 않을 때 쉽게 거짓말을 합니다. 예를 들어 엄마가 '오늘은 여기까지 끝내고 자야 돼'라고 말해놓고 그것을 했는지 확인하지 않으면 아이는 안 해도 그냥 넘어갈 수 있다는 걸 배우게 됩니다. 부모가 확인하지 않고 넘어가는 일이 반복되면 아이는 거짓말의 유혹에 빠지게 되는 것입니다.

3. 거짓말이 편해서, 그냥 습관적으로 거짓말을 하기도 합니다.

다 말하기 귀찮아서, 설명하기 귀찮아서 앞뒤 생각 없이 아무렇게나 말하는 아이도 있습니다. 행동이나 주변이 산만하고, 머리가 좋거나 게으르거나 움직이기 싫어하거나 우울한 아이가 주로 그렇습니다.

4. 악의적으로 거짓말을 하기도 합니다.

의도적으로 누군가를 골탕 먹이기 위해서 또는 해코지하기 위해서 거짓말을 하는 아이도 있습니다. 자기에게 이익이 되기 때문에 하기도 하고, 거짓말을 하는 것이 나에겐 이익이 되지 않지만 내가 싫어하는 아이에게 손해가 되기 때문에 거짓말을 하기도 합니다.

거짓말은 당연히 하지 말아야 한다고 가르쳐야 합니다. 아이의 거짓말은 부모가 섬세하게 관찰하고 움직이기만 해도 많은 경우 발견할 수 있습니다. 부모의 눈이 중요합니다. 일관된 행동과 말도 중요합니다. 더불어 거짓말을 했을 때 어떻게 벌을 줄 것인가도 생각해보셔야 합니다.

아이가 거짓말한 걸 알았을 때 다른 사람이나 가족 구성원 앞에서 아이의 거짓말을 폭로하는 잘못을 저지르기 쉬운데, 이것은 매우 조심해야 합니다. 아이는 자신의 거짓말이 들켰다는 것만으로도 이미 자존심이 상하고 창피함을 느낍니다. 창피하기 때문에 더 거칠게 반응할 수도 있고, 뻔뻔하게 응대할 수도 있습니다. 그러므로 이때는 자존심과 감정이 다치지 않게 하면서 거짓말을 한 대가를 치르게 하는 게 좋습니다. 스스로 말하도록 물어보고 자신이 제시하는 방향으로 벌을 줍니다. 벌은 신체적인 벌이 아니라 좋아하는 것을 얼마 동안 하지 못하는 벌, 혹은 필요한 집안일을 돕는 식으로 아이에게 고통이 되지만 평소와 다른 시간을 갖게 하면서 자신이 왜 그 일을 하는지 기억하게 만드는 게 바람직합니다. 벌이 너무 무거워서 불만이 생기거나 너무 오랫동안 벌을 받느라 그 일에 원망이 생기면 효과가 반감될 수 있습니다.

마지막으로 엄마에게 소리지르는 행동은 절대 더이상 참을 수 없다고 말씀하셔야 합니다. 화를 내거나 때리지 않고, 그게 얼마나 잘못된 행동인지를 차분하고 냉정한 목소리로 말해야 합니다. 아이가 다시는 그렇게 행동하지 않겠다는 약속을 하게 해야 합니다. 부모님이 기분이 나쁘고 마음이 상한다는 말도 하셔야 합니다. 어떤 아이들은 부모는 상처받지 않는 줄 압니다. 부모도 자존심이 있고 너로 인해서 기쁘기도 하지만 너로 인해서 상처받기도 한다는 것을 말할 필요가 있습니다.

Q10 고1 남학생과 고2 여학생을 남매로 둔 엄마입니다. 한 3년쯤 되어가는 것 같은데, 어떤 일로 싸운 뒤 애들이 서로 말을 안 합니다. 오로지 저를 통해서만 얘기를 전하면서 지내고 있어요. 심지어 식탁에서 같이 밥을 먹을 때도 그렇습니다. 문득 너무 오래되었다는 생각이 들었고, 이대로 두면 안 될 것 같아서 상담 메일을 드립니다. (물론 좀 늦었다는 사실도 알고 있습니다.) 솔직히 저도 한 살 아래 남동생과 엄청 싸우면서 컸습니다. 그런데 철이 드니까 오히려 돈독해지는 게 있더라고요. 그래서 저희 아이들도 그럴 거라 생각해 대수롭지 않게 여겼는데 영 아닌 것 같아서 고민입니다. 듣기로는 딸이 아들에게 몇 차례 대화를 시도했는데 안 받아주니까 스스로 포기를 했다고 하더군요.

아이들은 약간 내성적인 성격으로 주관이 뚜렷한 편입니다. 아들은 저한테는 조잘대지만 보통은 과묵하고 넉살이 없는 편입니다. 딸은 덤벙대지만 심성이 여리고 적당히 사교적이고요.

누나랑 말을 하지 않는 것에 대해 이야기해보려고 시도했지만 그럴 때마다 아들은 듣기 싫어하는 표정으로 회피합니다. 마음은 그렇지 않은데 오래되다 보니 어색해졌고 본인도 어떻게 해야 할지 모르는 것 같아요. 덧붙이자면 딸은 남편과 아주 친하고 아들은 저와 친합니다. 선생님, 어떻게 하면 좋을까요? 회복할 방법이 있을까요?

A 글을 읽고 처음에는 있을 수 있는 일이지만 조금 심한 편이라고 느꼈습니다. 그러나 며칠 생각해보니 조금이 아니고 이미 선을 넘었는데 부모님이 심각하게 보지 않고 계셨구나 하는 생각이 들었습니다. 물론 지금은 심각

하게 생각하기 때문에 글을 남기셨으리라 믿습니다.

다투지 않고 자라는 형제는 없습니다. 특히 10대가 되면 사소한 일에도 충돌하고, 서로가 서로를 공격하기도 합니다. 다툼이 원망과 불평으로 끝날지, 화해와 용서, 그리고 이해로 끝날지는 부모님의 시간과 관심을 기울인 대화에 달려 있습니다.

먼저, 지금이라도 둘 사이를 회복시켜야 합니다. 자라면서 대화를 안 하는 아이들이 있지만 길어야 한두 달입니다. 한두 달이면 스스로 답답하고 지쳐서 이야기를 하게 됩니다. 그런데 한집에 살면서 3년이 되도록 말을 하지 않고 있다면 그냥 넘길 만한 일이 아닙니다.

초반에 부모님이 심각하게 생각하지 않은 점이 아이들에게 대화를 하지 않아도 되는 빌미를 줬을 수 있습니다. 아이들은 지금 중요한 시기를 지나고 있습니다. 가족 안에서의 인간관계뿐 아니라 가족 밖에서도 마음에 들지 않는 친구나 사람과도 맞추면서 지낼 줄 알아야 합니다. 서로의 인격을 존중해 주며 함께 살아가는 방법을 배워야 하는 시기입니다.

그런데 같이 살면서 말을 주고받지 않는다는 것은 서로의 인격이나 존재 자체를 깡그리 무시한다는 뜻이 됩니다. 특히 식탁에 둘러앉아 밥을 먹으면서 부모를 통해 말을 주고받는다는 것은 분명 옳지 않은 태도이지요. 부모님이 혼내고 가르쳐야 할 부분이라고 생각합니다. 어머님은 아들하고 친하고 아버님은 딸하고 친하기 때문에 서로 간에 주고받은 말들을 통해 집안에 의사소통이 된다고 생각할 수 있으나 실제로는 그렇지 않다는 걸 잘 알고 계실 것입니다. 따끔하게 이야기해야 합니다. 감정적으로 용납이 되든 안 되든 옳지 않은 일이니 고쳐야 한다고 딱 부러지게 말씀하셔야 아이들도 문제 상황을 제대로 인지하게 됩니다.

부모가 확실하게 말해주지 않으면 아이들은 자신이 하는 행동이 부모에게 용납된다고 생각하고 그게 옳다고 생각합니다. 부모가 잘못이라고 말하지 않았기 때문에 옳다고 생각하는 것입니다. 물론 부모는 잘못인 줄 알지만 아이들이 싫어하니까 말하지 않은 것뿐이죠. 하지만 아이들은 부모의 침묵을 그렇게 해석하지 않습니다. 3년이라는 시간을 침묵하며 지냈다면 아이들은 서로를 무시하는 데 익숙해져 있고, 그런 관계를 편안하게 느낄 수도 있습니다. 갑자기 멀어진 사이를 좁히려고 이런저런 잔소리를 하면 거부하거나 반항할 수도 있습니다. 하지만 지금까지 잘못한 일에 익숙해졌다고 해서 바로잡을 수 있는 기회를 놓쳐선 안 된다고 생각합니다.

며칠은 어색하고 불퉁거리고 퉁명스러울 수도 있고 온 가족이 서로 불편해질 수도 있지만 곧 자연스러워지리라고 생각합니다. 또 자연스러워져야 하고요. 왜냐하면 가족이니까요. 더불어 누나는 누나대로 자기를 무시하는 남동생 때문에 마음에 상처를 많이 받았으리라 생각됩니다. 남동생은 남동생대로 누나를 함부로 대하면서 다른 사람을 대하는 면에서 잘못된 태도를 배웠을 수 있고요. 가정 안에서만 해당되는 문제가 아니라 결국은 집 밖에서 다른 사람을 대하는 태도로까지 확대될 수 있다는 점을 생각한다면, 부모님이 (꼭 두 분이 함께) 남매를 앉혀두고 문제의 심각성을 말하고 부모님 뜻을 이야기하셨으면 합니다.

✦ 닫는글 ✦

부모가 기다리는 시간에
아이들은 자란다

〈십대들의 쪽지〉는 사춘기 아이들에게 하나의 소통 창구였습니다. 전국에서 아이들의 고민이 담긴 상담 편지가 배달되었습니다. 한 달에 300~400통, 일 년이면 4,000통 정도가 배달되었지요. 남편과 나는 아이들이 보내준 편지에 단 한 통도 빠뜨리지 않고 일일이 손으로 답장을 써서 보냈습니다. '누군가에게 내 마음을 털어놓았는데 그 문제를 나보다 더 진지하고 심각하게 들어주는 사람이 있고, 나의 말에 답을 했다'는 신뢰감을 아이들에게 전해주고 싶었습니다.

시간이 흘러 〈십대들의 쪽지〉에 상담 편지를 보내오던 10대는 어느덧 사춘기 자녀를 키우는 부모가 되었습니다. 그땐 우리 부모만 나를 이해하지 못하고 인정하지 않는다고 답답해했는데, 이제는 자신이 말이 안 통하는 부모가 되어 있고 아이의 행동을 어떻게 받아들여야 할지 몰라 고민이라고 합니다. 한 세대가 흘러 모든 것이 바뀌었는데도 여전히 부모는 10대 아이가 당황스럽고, 10대 아

256

이는 부모가 답답한 것 같습니다.

다행스러운 것은, 10대 때는 좋은 변화든 나쁜 변화든 어른보다 쉽게 변할 수 있다는 점입니다. 아이들은 여러 번 말해야 알아듣기도 하지만, 가슴을 울리는 한 마디 말에 태도를 바꾸기도 합니다. 물론 그 강약과 빈도를 조절하는 일이 쉬운 일은 아닙니다.

사춘기는 인생에서 일종의 병목 지대입니다. 대답하는 속도가 점점 느려지는 가 싶더니 어느 순간 꽉 막혀 의사소통에 정체 현상이 나타납니다. 아이에게 주는 부모의 사랑은 변함이 없는데 부모의 사랑을 흡수하는 아이의 용량은 절반으로 줄어듭니다.

아이는 부모의 말을 들리는 그대로 받아들이지 않고, 친구들의 생각과 비교해보기도 합니다. '엄마 아빠 말이 꼭 맞는다는 법은 없잖아?' 하면서 혼자 생각해보고 판단하기도 합니다. 그렇게 사춘기가 오면, 아이가 '엄마'라고 부르기만 해도 가슴 떨렸던 기쁨의 순간은 아득히 멀어지고, 사사건건 아이와 충돌하는 괴롭고 힘든 시간이 이어집니다.

'뿌린 대로 거둔다'는 말은 몇 천 년 동안 자연과 인생을 지배해온 법칙입니다. 다만, 열매가 맺는 시간은 씨앗에 따라 조금 다릅니다. 한 계절이 지나기 전에 꽃이 지고 열매를 맺는 나무가 있는가 하면, 몇 년이 지나야 꽃이 피고 열매를 맺는 나무도 있습니다. 생명이 자라는 데 정해진 시간은 없습니다. 타고난 대로 다르게 자라고, 다르게 열매를 맺습니다. 그래도 언젠가는 뿌린 대로 거두게 됩니다.

사춘기 아이를 키우고 대화를 나누는 것은 아이 마음에 씨를 뿌리는 것과 같습니다. 때로는 내가 뿌린 말의 씨앗이 아이 마음밭에 닿자마자 튕겨 나와서 애가 타기도 합니다. 때로는 어제 뿌린 씨앗이 오늘 싹을 틔우는가 싶더니, 며칠 지나지 않아 시들어버리는 것을 보기도 하지요. 힘들게 뿌린 말 씨앗이 아이의 마음밭에 싹을 틔우고 꽃도 피게 했지만 열매까지는 맺지 못하는 일도 생깁니다.

하지만 부모가 한 말은 그냥 흩어지지 않습니다. 마음밭 어딘가 숨어 있다가 온도와 영양분이 맞으면 싹이 나고 자라기 시작합니다. 때가 되면 부모의 말은 아이 인생에서 50배, 100배의 열매를 맺기도 합니다. 오늘의 말 씨앗이 싹을 틔우지 못하더라도 부모가 지치지 않고 좋은 말의 씨앗을 뿌려야 하는 이유입니다.

부모는 자식 농사를 짓는 농부입니다. 새벽부터 밤늦게까지 철을 가리지 않고 수고하면서 추수를 기대합니다. 뿌린 씨앗이 어떻게, 얼마나 자랐는지 확인하기 위해 날마다 땅을 헤치거나 뽑아볼 만큼 어리석거나 조급해하지 않습니다. 할일을 다 하고 기다리면 때가 되었을 때 열매가 맺힌다는 것을 믿고 기다릴 뿐입니다.

그렇게 부모가 기다리는 시간에 아이들은 자랍니다. 부모의 말 씨앗이 뿌려진 밭에서 영양을 섭취하며 눈에 보이지 않을 만큼 조금씩 조금씩 키를 키워갑니다.

오늘 내 아이가 마음에 덜 들어도 내일을 기대하면서 기다려야 합니다. 믿음과 희망, 감사와 사랑을 담은 말 씨앗을 아이의 마음밭에 뿌려야 합니다.

사춘기 아이에게
어떻게 말해야 할까

초판 1쇄 발행 2023년 6월 1일

–

지은이 강금주
펴낸이 장재순

–

펴낸곳 루미너스
주소 경기도 고양시 덕양구 덕수천2로 150(동산동), 207동 402호
전화 02-6084-0718
팩스 02-6499-0718
이메일 lumibooks@naver.com
블로그 blog.naver.com/lumibooks | **포스트** post.naver.com/lumibooks
출판등록 2016년 11월 23일 제2016-000332호

–

디자인 강상희
일러스트 편안
인쇄 (주)상식문화

–

© 강금주, 2023

ISBN 979-11-973766-7-2 13590